D0522183

12, AVENUE D'ITALIE. PARIS XIIIe

Olivier Magny a un parcours original. À vingt-quatre ans, il crée Ô Chateau (*www.o-chateau.com*), sa société de dégustation de vins. Depuis, c'est plus de 50 000 personnes du monde entier qu'il a personnellement formées au vin français. Pur Parisien, il a vécu en Californie, est diplômé de l'ESSEC, intervient à l'Hôtel de Crillon et à Sciences-Po. Il présente en outre une émission de télévision sur le vin : *La Tournée d'Olivier*. Ô Chateau a récemment ouvert un bar à grands vins, au 68 rue Jean-Jacques Rousseau, à Paris. Olivier vous y attend, généralement un bon verre à la main.

Publié avec l'accord de Baror International, Inc., Armonk, New York, USA

Maquette et illustrations : Les Associés réunis.

ISBN 978-2-264-05635-1

Olivier Magny

Dessine-moi un Parisien

Nouvelle édition augmentée

Illustrations de Marie Sourd

Un matin de février, Olivier Magny se lance dans l'écriture d'un blog pour le site de sa société. Il l'écrit en anglais et l'appelle *Stuff Parisians Like*. Rapidement, plusieurs milliers de lecteurs dans le monde entier se mettent à suivre *SPL* — coquins complices de ces gentilles mises en boîte des Parisiens par un Parisien. Le petit blog grandit. Un beau jour, 10/18 propose à Olivier de publier son blog. Plus d'écrans ni de clics, mais du vrai papier. Olivier se lance plein d'entrain dans la traduction de ses propres textes. En quelques semaines, *Dessine-moi un Parisien* devient un best-seller. Quelques mois plus tard, la version *in English* sort et connaît à son tour un joli succès. Le Parisien croqué par Olivier Magny n'en finit plus de faire rire, bien au-delà du périphérique...

Sommaire

LE MOT PUTAIN

À Paris, *putain* est plus qu'un mot. C'est une béquille. Une béquille pour les gênes sociales et mentales du Parisien. Il est impossible d'avoir une conversation de plus de cinq minutes avec un Parisien sans entendre résonner le son de la béquille. Cela est vrai, sauf si vous êtes vous-même du cru. Les Parisiens ont développé une aptitude rare : celle de ne jamais remarquer le son de la béquille. Le mot *putain* a simplement disparu à l'oreille du Parisien.

Le nom *putain* renvoie à une prostituée. L'interjection, elle, ne renvoie à personne. Dans son usage le plus commun, elle exprime avec vivacité des sentiments typiquement parisiens tels que le mécontentement, la colère ou la frustration… dans les bouchons : « *Putain, mais c'est pas possible !* » ; à propos de son patron : « *Il est complètement con, putain…* » Dans ces circonstances particulières, le mot a valeur de ponctuation – tantôt majuscule, tantôt point final. C'est de loin l'usage le plus fréquent du mot.

Mais le terme sait dépasser ce petit cantonnement. *Putain,* à Paris, définit aussi la surprise. Un ciel ensoleillé : « *Oh ! Putain, il fait beau* » ; un coup d'œil sur la montre : « *Putain, il est déjà 2 heures ?* » Plus péremptoire, il devient alors injonction ferme à cesser séance tenante galéjades et forfanteries : « *Attends, putain, deux secondes* », « *Putain, t'es sérieux ?* »... Dans la même veine, utilisé seul, il exprimera tout à la fois l'intérêt et la compassion lorsque sera annoncée une triste nouvelle.

Parisien 1 : *Et c'est là que son mari l'a quittée.*
Parisien 2 : *Putain.*
Parisien 1 : *Ouais, et donc elle se retrouve avec trois gamins...*

De façon plus surprenante, le terme pourra exprimer l'admiration et valoir encouragement. À propos d'un

bon film : « *Putain, c'était hyper bien* » ; en découvrant le nouvel appartement d'un ami : « *Putainnn* »; en apprenant que quelqu'un qu'on a perdu de vue a fait un tour du monde : « *Putain… ?* »; devant un match : « *Allez putain !!* »
Suivi de la préposition « de », il devient emphatique : « *Il a une putain de voiture* », « *C'est un putain de restaurant* ». Ce dernier usage sera le seul considéré comme grossier à Paris. C'est là la seule fois où le Parisien entendra le mot.
Au bout du compte, le mot *putain* à Paris exprime surprise, colère, encouragement, frustration, emphase ou admiration. C'est pour sûr une béquille bien utile. Mais l'utilisation fréquente de béquilles – qu'elles soient physiques ou verbales – révèle les afflictions. L'usage extensif du mot *putain* dans son acception la plus commune témoigne d'une certaine nécessité sociale à Paris de claironner colère, brutalité et frustration. Si vous n'êtes pas en colère face à une large majorité d'événements du quotidien, prêt à jurer pour l'exprimer sans toutefois vous en rendre compte, vous n'êtes à l'évidence pas parisien. *Putain* est finalement un outil d'intégration sociale. Courir effrontément lorsque tout le monde va claudiquant serait tout bonnement inconvenant. L'alternative pour celui qui vit à Paris est simple : saupoudrer chaque phrase de *putains* ou se trouver une autre ville.
Bien que très certainement utiles, les béquilles ont cependant un désavantage : elles entraînent déséquilibres et atrophies. La conséquence directe de la généralisation de l'usage du mot *putain* à Paris est une forme tenace de paresse mentale. Expression facile de sentiments faciles. Discrètes façades et petits renonce-

ments. Travestissement du vide en négatif. L'absence dissimulée par les mots.
Une des activités favorites du Parisien consiste à imiter les gens du Sud. Lorsqu'il s'essaie à cet exercice, le Parisien utilisera systématiquement pour débuter ou terminer sa première phrase un sudiste « *putainnnggg…* ». Les Parisiens ont, c'est indéniable, un très beau sens de l'observation.

CONSEIL UTILE :

Si vous ne savez pas quoi dire,
dites simplement « Putain... »

PARLEZ PARISIEN :

« Non mais putain…
c'est pas possible, bordel ! »

L'ÎLE SAINT-LOUIS

En matière d'immobilier, le Parisien se contente de ce qu'il peut. Et c'est heureux. Car si tous les Parisiens habitaient là où ils le souhaitaient vraiment, l'île Saint-Louis aurait sans doute sombré.

L'île Saint-Louis est contraires triomphants : centrale mais isolée, belle mais discrète, pleine de vie mais calme. Elle est l'essence de Paris, son nid, son sourire le plus charmant. Les Parisiens le savent et lui vouent un amour indéfectible, de ces amours qui finissent par vous définir.
Traverser l'île fait du bien. Préservée des turpitudes de la cité, son élégance sereine apaise. L'on s'y sent chez soi. L'on s'y promène rassuré, nourri de beauté. Cette île flotte bien.
Les Parisiens font de l'île Saint-Louis une destination pour les plaisirs simples et hors du temps. Une sortie en vélo avec les enfants, un baiser échangé avec une étrangère, une douce promenade avec son épouse. Au cours d'une vie parisienne, l'île Saint-Louis devient, année après année, le théâtre des moments qu'on n'oublie pas. Comme si, de toutes les sorties en vélo, de tous les baisers et de toutes les promenades, ceux

de l'île Saint-Louis avaient quelque chose de plus précieux. L'île Saint-Louis embellit, elle grandit les moments, donne à chaque instant plus de profondeur et de goût. L'île Saint-Louis rend la vie mémorable.

Aussi, le Parisien n'y flâne que rarement : l'île Saint-Louis imprègne l'âme par trop. Sa beauté peut devenir un compagnon encombrant. Le Parisien n'a pas le temps pour ça. L'abandon de soi n'étant pas sa spécialité, le Parisien choisit avec soin ses moments sur l'île. Principalement, il faut le reconnaître, pour des entreprises romantiques ou des expéditions gourmandes chez Berthillon. Mais parfois, la promenade n'aura d'autre but qu'elle-même. Elle aura alors toujours le parfum doux-amer du temps qui passe. Doux-amer est un parfum cher au Parisien.

L'île Saint-Louis est une bouteille jetée dans l'océan de Paris. Une promenade est l'occasion d'accéder au message qu'elle couve. Il n'est pas facile de le décrypter. Mais certains mots semblent apparaître, chaque fois. Ces mots nous parlent, nous disent quelque chose.
Quelque chose sur une île.
Et sur un continent.

CONSEIL UTILE :

Allez-y tard le soir.

PARLEZ PARISIEN :

« Non, vraiment, si j'avais le choix,
mon rêve, ça serait d'avoir un appart'
sur l'île Saint-Louis. »

Paris est la capitale de la mode. Surtout si la mode se résume à porter du noir. Le Parisien aime porter du noir : pantalons noirs, chaussures noires, chaussettes noires, manteaux noirs... La liste est longue.

Étant entendu que « *le noir, ça mincit* » et que la femme parisienne souffre d'une psychopathologie délirante associée à l'idée de minceur, le noir est tout simplement son meilleur ami.

Au-delà de ses qualités à dissimuler les rondeurs (supposées), le noir est aussi un formidable outil de socialisation à Paris : en noir, on ne se fait pas remarquer. Quel sentiment plus doux ? Le Parisien aime passer inaperçu : il ne souhaite pas dépendre de ses vêtements pour révéler sa singularité. Aussi devront-ils être simples. Tous les Parisiens savent que « *le noir, c'est simple, c'est bien* ».

Le Parisien connaît ses couleurs. Il considérera les gens vêtus de couleurs avec dédain. L'exubérance est insultante : la question de l'état de santé mentale d'une personne capable de porter du rouge ou du jaune sera immédiatement mise sur la table. Le bleu est acceptable. Tout particulièrement le bleu marine qui a le bon goût d'être facilement pris pour du noir.

La règle d'or qui consiste à porter du noir partout et tout le temps trouve une seule exception. Une exception saisonnière. L'été, l'homme parisien pourra porter du blanc. Car « *le blanc, c'est simple, c'est bien* ». La Parisienne, quant à elle, optera pour la couleur de l'été. Chaque été, le diktat des magazines féminins sonne le rappel des troupes. Pas de dispersion. En matière de couleurs, l'originalité a ses limites. Toutes les femmes parisiennes acceptent de bon cœur ce nouveau paradigme qui vaut passe-droit pour plus de shopping. Marcher dans les rues de Paris un été « bleu » donnera l'étonnante impression au promeneur de flâner dans un étrange village schtroumpf.

Lorsque son petit ami se permettra d'évoquer la laideur de la couleur de l'été, la Parisienne le considérera avec ce mélange de désespoir et d'exaspération propre aux relations qui n'ont que trop duré : « *C'est hyper tendance cette couleur cet été, tu comprends rien.* »
En effet, l'homme parisien aurait pu faire un effort.

CONSEIL UTILE :

Ne portez pas que du noir.
Un col blanc ou une écharpe colorée apporteront une touche élégante et… simple.

PARLEZ PARISIEN :

« J'me suis acheté un p'tit pull noir, tout simple, super mignon… »

Aimer est un petit aveu de faiblesse. Le Parisien n'est donc que peu enclin à se répandre sur ce qu'il apprécie. Pour autant, mépriser quelqu'un parce qu'il aime les trains étant aussi inconvenant qu'improbable, le Parisien est très à l'aise pour affirmer qu'il aime le TGV.

Dans une discussion entre Parisiens sur les choses formidables que la France a eu le bon goût d'enfanter, le TGV vient généralement tout en haut de la liste, bien avant l'égalité entre les hommes ou le château-d'yquem. Les Français adorent le TGV. Tous les Français. Le Parisien ne fait pas exception. Mais, là où le provincial apprécie le TGV car il rend Paris et donc le monde plus accessible, le Parisien bénéficie du TGV dans une tout autre mesure. La carte des lignes TGV nous apprend que la France est une constellation dont Paris est le Soleil. Chaque ligne irrigue généreusement de lumière les contrées les plus sombres qui, d'une addition, composent la Province. Le Parisien surfe sur ces rayons de soleil.

Rien n'est plus convenu qu'une discussion sur le TGV. Tous les Parisiens sont d'accord pour dire que « *c'est hyper pratique* » et que « *c'est super rapide* ». La conversation culmine généralement en un « *non, vraiment, c'est top* ». Satisfaction totale. On frise l'ennui. Sur le sujet, seule une controverse a cours : « *Pour aller à Nice, il vaut mieux prendre le train ou l'avion ?* » Personne à Paris ne détient une réponse définitive à cette brûlante question. Pour qui sait prêter attention, le XXIe siècle recèle toujours des mystères insondables.

S'il est largement utilisé par des voyageurs d'affaires, pour la grande majorité des Parisiens, le TGV est avant tout vecteur de bons moments. Il est le complice discret des vacances et week-ends réussis : « *Strasbourg, c'est deux heures vingt* », « *Marseille, c'est trois heures* ». Le TGV est rapide et fiable, mais il offre aussi une opportunité presque irrésistible au Parisien : celle de s'offrir un billet en première classe. Pour quelques euros de plus. Ces quelques euros seront en général justifiés par l'imparable : « *En première, il y a une prise, c'est top, comme ça, je peux brancher mon portable et bosser ou regarder un film.* » Le

luxe se doit de résider dans l'utile, l'agréable n'en étant qu'une vague province.
Une histoire d'amour sans nuages étant chose impossible, le Parisien veillera – pour la bonne mesure – à se plaindre du prix des sandwichs à bord. La bonne mesure ne dictant pas la mesure tout court, un « *c'est un scandale* » résonnera alors, cinglant et sans appel.
Lorsqu'un TGV aura du retard ou sera annulé, le Parisien pensera dans un raccourci frénétique que tous les employés de la SNCF sont des « *privilégiés* ».
Puis, il se sentira mieux.
L'idée que partir régulièrement pour de petites escapades à travers les enchanteresses régions françaises pourrait peut-être faire du Parisien un privilégié ne saurait l'effleurer.
Tout comme le train qu'il aime tant, les pensées du Parisien vont trop vite pour ce genre de considérations.

CONSEIL UTILE :

75 % des usagers du TGV ont
une « carte de réduction ».
Et vous ?

PARLEZ PARISIEN :

« Allez, ce week-end,
on se prend un TGV
et on va quelque part. »

TRAITER LES GENS DE FACHOS

Dans l'usage commun, un fasciste est un thuriféraire du régime fasciste italien d'avant-guerre.
À Paris, un fasciste est une personne qui n'est pas d'accord avec le Parisien, qui l'affirme et qui a sans doute raison.
Le Parisien adore qualifier les gens de fascistes ou, plus fréquemment, de « *fachos* ». *Facho* est un mot déterminant à Paris. Il est tantôt nom commun : « *Zemmour, c'est vraiment un gros facho* » et tantôt adjectif : « *Tu sais, le type un peu facho sur les bords…* » Être qualifié de *facho* est une caractérisation indélébile ; même infondée, elle laissera derrière elle l'infamant soupçon.
Facho est l'offense ultime. Celle du raisonnement dégradé au service d'idées désastreuses. Le terme, pour le Parisien, peut qualifier une multitude presque comique d'individus. La forme la moins usitée du terme est celle qui caractérise, dans un non-sens historique dont le Parisien s'accommode bien volontiers, une personne d'extrême droite. Un usage plus fréquent visera la personne exprimant des opinions et des données que le Parisien n'est pas prêt à entendre. Plus l'affirmation sera lancée avec conviction, plus l'interlocuteur sera nécessairement *facho*.

Être *facho* en fait, c'est ne pas avoir tort et, de surcroît, ne pas enrober son discours des doutes et mises en perspective qui – le Parisien le sait bien – fondent le concept même de réalité. Double faute. Jeu, set et match.

Le mot *facho* est une arme lumineuse pour remporter une discussion. Lorsque ses errements argumentatifs sont contrés par une observation ou un raisonnement implacables, et donc suspects pour les curés de la bienpensance, le Parisien, bon élève, qualifiera son interlocuteur de *facho* et gagnera immédiatement le débat. Pour sceller sa victoire, il ajoutera, la mine dépitée, un « *on peut pas discuter avec toi* » ou un « *c'est dingue de dire des trucs comme ça* ». Puis, superbe dans l'indignation, il s'éclipsera. Victoire.

Lorsque cette supériorité établie à bon compte est trop manifestement excessive, le Parisien préférera des qualificatifs comme « *poujadiste* » (dans le cas où l'interlocuteur n'est pas fonctionnaire ou journaliste), ou « *populiste* » (dans le cas où un politicien du bord adverse dit des choses qui semblent relever du bon sens). Pour lui, poujadisme et populisme sont les racines du fascisme. Ils doivent être combattus pied à pied.

À Paris, il est communément accepté que certains groupes soient composés exclusivement de *fachos*. Ainsi, les militants d'extrême droite, les militants d'extrême gauche, les militaires et les familles catholiques qui passent leurs vacances en Bretagne sont tous des *fachos*. Il n'existe aucune exception à cette règle (ou alors uniquement pour quelques militants d'extrême gauche, qui sont alors qualifiés d' « *humanistes* »). En outre, toute personne qui a associé un jour au détour d'une conversation tel ou tel phénomène social à une origine géographique, ethnique ou religieuse remportera également la palme.

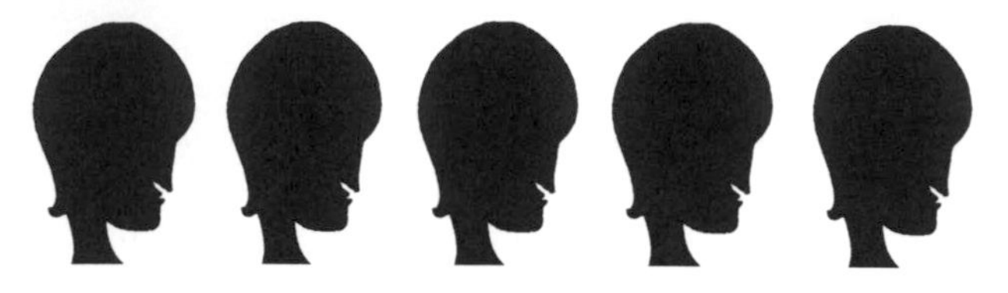

La pertinence du jugement importe peu ; il ne fait pas bon être traité de *facho* à Paris. L'idée que cet étiquetage intempestif s'apparente à une nouvelle forme de police mentale dont il est chaque jour l'agent le plus zélé est étrangère au Parisien. Il est là pour combattre la menace bouillonnante de voir un jour le fascisme régner dans sa ville.
L'observateur éclairé ne disconviendra pas qu'avec de tels ennemis, le fascisme à Paris n'a certainement pas besoin d'amis.

CONSEIL UTILE :

Le terme *fasciste* ne doit être utilisé
que dans des conversations à teneur politique.
Dans toute autre conversation,
facho est plus pertinent et bien suffisant
pour discréditer votre interlocuteur.

PARLEZ PARISIEN :

« Ouais, mais Sarko, c'est un facho… »

La question « Quel jour de la semaine aimez-vous le moins ? » ne saurait souffrir à Paris qu'une seule réponse : le dimanche. Le redoutable dimanche.
Les dimanches occidentaux ont tous la même saveur : ce doux-amer de fin de week-end. Le Parisien redoute ce jour plus que tout autre. Car à Paris, le dimanche est amer-amer…
Le week-end pour les Parisiens n'est pas temps de repos : il est défi social implicite, il est nécessité d'accomplissement. La vie à Paris se raconte davantage qu'elle se vit. Chaque week-end, le Parisien se doit de construire des épisodes de vie à partager : munitions du lundi. La prime revient au meilleur

scénariste. L'entreprise de description débute toujours dans l'énergie du vendredi, du samedi et du samedi soir : le Parisien sait s'amuser. Ouf. Il saupoudrera çà et là son récit d'éléments témoignant de ses centres d'intérêt, de son pouvoir d'achat ou de ses amitiés les plus enviables. La pause-café du lundi matin est un défilé social digne des plus grands couturiers du quotidien. Mais la description cale quand arrive le rapport du dimanche : « *Et dimanche, pas grand-chose, tranquillou, repos.* » Mensonge parisien éhonté : l'ennui accablant travesti en repos bénéfique.

Lors de confessions plus sincères, les Parisiens reconnaîtront volontiers que « *le dimanche, c'est horrible, c'est complètement mort, tout est fermé* ». En effet, les dimanches à Paris peuvent revêtir trois formes : « *toute la journée à la maison, à glander* », « *toute la journée à la maison, à glander, sauf un déjeuner avec la famille ou un brunch avec des amis* », ou l'une ou l'autre de ces hypothèses agrémentée d'une séance de cinéma au cours de la journée.

Il est possible que ceux qui déambulent le dimanche dans le Marais, prétendant faire du shopping, vivent à Paris, mais ils ne sauraient être considérées comme des Parisiens. L'identité parisienne repose en partie sur la certitude inébranlable de la nullité du dimanche et donc l'irrévocable résignation à celle-ci. Le dimanche, l'espoir est affaire de touristes et de provinciaux fraîchement débarqués. Le Parisien se doit d'être au-dessus de ça. Au-delà de l'espoir.
Le Parisien sait que si la réalité est grise, une salle de cinéma est un bel endroit où retravailler la couleur

pour quelques heures. Noir, couleurs, émotions, et le souhait discret mais tenace de pouvoir glisser sur ce toboggan d'images jusqu'à la fin du jour. Paris compte le plus grand nombre de salles de cinéma au monde, toutes immanquablement prises d'assaut le dimanche par des hordes aspirant à la couleur. Les *boat people* de la grisaille.

Avec pudeur, les Parisiens restent romantiques.

Le dimanche étant un jour d'effort social minimal, le film ne sera pas suivi d'un verre ou d'un repas. Les amis qui s'autorisent ensemble un ciné le dimanche ont atteint un stade d'intimité qui ne s'encombre pas d'échanges superflus et de glorioles simulées. Il y a dans ce compagnonnage du dimanche une déclaration silencieuse d'amitié : « *Oui, mon dimanche est pourri, mais je peux te le montrer.* » Masques tombés, conversations élaguées – la queue était bien assez longue.

Le film du dimanche a, au bout du compte, toujours un goût de dimanche. Le café du lundi matin, dans un rappel sombre et amer, permettra au Parisien de reprendre le dessus.
Vivement lundi.

CONSEIL UTILE :

Musée ?
Petit tour en dehors de Paris ?
Sport ? Sexe ? Lecture ?

PARLEZ PARISIEN :

« Tiens, dimanche,
j'ai vu un film pas mal... »

Le caramel au beurre salé

À Paris, le sucré a le goût de la culpabilité. Cette douceur complice… Dans la vie plus encore que dans l'assiette, le sucré est affaire d'effondrement. Un petit effondrement. Rompre dans un discret abandon l'équilibre des choses. Rien de méchant. Certains diraient que le plaisir est chose glorieuse. Certainement pas le Parisien.

Le sucré porte en lui toutes les afflictions de la décadence. Il est couvrant et riche, sensuel et affriolant, séduisant et goguenard. Il convient donc de se méfier du sucré. Le consommer toujours avec modération. Juste assez pour que l'ombre inquiétante de la décadence ne vienne cacher la tendre éclaircie gourmande. Dans ce tiraillement silencieux entre le bien et le mal, le Parisien a trouvé dans le caramel au beurre salé un allié de valeur. Il est sucré à n'en plus pouvoir, diaboliquement doux, mais dans ce cocon de douceur perverse résonne un adjectif salvateur : *salé*. Railleur et irrévérent. Obéissant et rebelle. Une pincée de sel généreuse rend le caramel acceptable pour le Parisien. Le plaisir devient presque agréable. Le sel est une bien jolie chose.

Le caramel au beurre salé était il y a peu une curiosité bretonne. Le témoignage charmant d'une vieille habitude bigouden consistant à saler le beurre. Mais son goût enchanteur et ses qualités rédemptrices lui ont ouvert les portes de la capitale. Ces dernières années, il est devenu à Paris l'étendard de tous les croisés de la culpabilité. Le Parisien pourra trouver son caramel au beurre salé dans bon nombre de petits poneys de Troie : la glace, les macarons, les bonbons... De cette cavalerie joufflue, le bonbon au caramel au beurre salé demeure l'icône absolue, la caresse la plus experte. Celle à laquelle on ne résiste pas.

Lorsqu'un Parisien lit « *Caramel au beurre salé* » sur une carte de desserts, il éructe un irrépressible « *Oh, caramel au beurre salé...* » À cet instant, la partie est déjà jouée. Le sel par magie a fait table rase du sucre et de la décadence. Le Parisien est libéré.
Ainsi soit-il.

CONSEIL UTILE :

En matière de caramel
au beurre salé,
Henri Le Roux est la référence...

PARLEZ PARISIEN :

« C'était servi avec une boule
de caramel au beurre salé...
hyper bon !
J'adore le caramel
au beurre salé. »

LES AMIS

Le Parisien n'a pas besoin de nouveaux amis. Il en a déjà assez comme ça.

À l'âge de vingt-trois ans, le Parisien a déjà trouvé l'ensemble de ses amis pour la vie, répartis selon trois groupes : les amis d'enfance, les amis du lycée et les amis de la fac (ou d'école, selon). Ajoutez une poignée rencontrés en vacances et une pincée de ceux avec qui, enfant, il a appris la musique ou le sport et le compte y sera. Parmi ces cercles, celui des amis de la fac sera le plus cher au Parisien. Voir les autres relève davantage de la corvée.

Il est important de savoir que la plupart des Parisiens en ont assez d'une grande partie de leurs amis, ce qui entraîne une bien naturelle défiance envers tout nou-

vel ami. Ils se lasseront sans doute bien vite d'eux également. Pourquoi s'embêter ?
Se faire un nouvel ami parisien équivaut à rencontrer un nouvel ami de moins de vingt-trois ans. Au-delà de ce seuil, les seuls nouveaux amis seront provinciaux ou étrangers. L'unique façon de contourner cette pénurie est de débuter une relation amoureuse avec une personne qui avait des amis parisiens avant l'âge de vingt-trois ans. L'insigne honneur de passer du temps avec eux s'offrira alors à vous.

En pénétrant ce cercle prestigieux (demeuré clos depuis des années), vous serez le fauteur de troubles, la cause de jalousies, histoires et analyses. Un ton trop cordial sera perçu comme une tentative malicieuse de séduction. Soyez prêt à être haï par les gens de votre sexe et aimé par ceux du sexe opposé. Telle est la règle

des nouvelles interactions avec les groupes de Parisiens.
Les vieux amis donnent au Parisien un sentiment d'enracinement dont la vie urbaine semble les priver. Ne pas vouloir de nouveaux amis est affaire de confort et de stabilisation. Puisqu'il connaît ses amis parfaitement, il peut en toute justice en déduire qu'il connaît le monde parfaitement.
En matière d'amitié, face à une telle maestria déductive, nul ne saurait blâmer le Parisien pour son inaptitude aux additions.

CONSEIL UTILE :

Ne vous cassez pas la tête,
les provinciaux sont généralement
plus agréables et plus fun.

PARLEZ PARISIEN :

« Je dîne avec Guillaume jeudi...
pff, ça me saoule,
mais j'ai déjà annulé deux fois,
il faut vraiment qu'j'y aille. »

Trois critères conditionnent la *coolitude* à Paris : posséder un iPhone, porter des Converse et manger des sushis – au moins deux fois par semaine. Le manquement à l'un de ces trois principes fermera au Parisien les portes du monde du cool.

Au cours des cinq dernières années, le sushi est devenu le repas typique du Parisien cool (par « cool », comprendre ici, de moins de quarante ans, tout Parisien de moins de quarante ans étant persuadé d'être cool). Si le Parisien sort déjeuner chaque jour à midi avec ses collègues, il lui sera simplement impossible de se soustraire au sushi, *au minimum* hebdomadaire.

Les restaurants à sushis fleurissent à Paris et sont généralement tenus par des Chinois. Comme les deux autres dimensions du cool, la popularité du sushi est d'inspiration américaine et sa fabrication assurée par des Chinois. Le Parisien cool, c'est indéniable, est un libre-penseur.

Lorsqu'il découvre pour la première fois les sushis, le Parisien croit pourtant pénétrer le monde secret et précieux de la gastronomie japonaise, à la mode new-yorkaise... Frisson de l'exploration culinaire différentielle. Il s'aperçoit alors rapidement que le sushi est diététiquement correct et relativement bon marché. Il devient client régulier. Le respect contenu, presque dévot, du début mue alors peu à peu en une impolitesse qui confine souvent à l'absurde. C'est généralement à ce stade que le Parisien commence à se moquer du serveur en prenant l'accent chinois.

Dans la plupart de ces restaurants, les menus sont confortablement répétitifs et gracieusement rendus intelligibles avec force photos. Si l'homme parisien a une préférence pour le menu *sushi-brochettes*, la femme parisienne, dans un noble élan de modération diététique, opte en général pour les *sashimis*. Lorsque le Parisien emmène un provincial manger des sushis, il commence par lui expliquer le maniement des baguettes avant de passer commande pour lui. Le Parisien a beaucoup voyagé, il est un hôte très attentionné.
La frénésie du sushi dépasse aujourd'hui les murs des

restaurants : Paris est devenue la capitale mondiale de la livraison de sushis à domicile. Les sociétés présentes sur ce marché sont vues comme un peu plus marketing et ne sont pas tenues par des Chinois. Le dimanche soir venu, tous les Parisiens de moins de quarante ans passent commande. Cette règle ne souffre aucune exception.

Tôt ou tard, le mangeur de sushis proclamera qu'il aime la cuisine japonaise : « *La cuisine japonaise, tu vois, c'est hyper fin, moi j'aime beaucoup.* » À Paris, aimer la cuisine japonaise n'implique rien d'autre que d'apprécier les sushis. Cet emballement atteint son apothéose avec la découverte de la rue Sainte-Anne, le cœur du *little Tokyo* parisien. Au cours de sa première visite dans un des *japonais de la rue Sainte-Anne*, le Parisien ressentira ce frisson pionnier auquel seuls les grands découvreurs goûtent un jour. Il se réjouira de pénétrer enfin dans le monde rare de la « *vraie* » cuisine japonaise, préparée et servie par « *de vrais Japonais* ». Lors d'un repas rue Sainte-Anne, il commencera par tourner le dos aux sushis – officiellement relégués à une nourriture de beaufs (jusqu'au dimanche soir en tout cas) – pour explorer en grand aventurier qu'il a toujours su être le monde fascinant des *sobas*, *udons* et autres *okonomiyakis*... Puis il introduit ses amis à ces nouveaux plaisirs en les emmenant « *dans un p'tit resto japonais que j'adore, tu vas voir* » (de façon assez pratique, ledit restaurant est généralement le seul de la rue Sainte-Anne dont le Parisien ait jamais passé la porte). Avant d'entrer, le Parisien les avertira systématiquement avec ce soupçon de condescendance qui fait le ciment de toute véritable amitié parisienne : « *Attention par contre : c'est du vrai japonais, y a pas de sushis, hein.* »

Être au-delà, sans pour autant être par-delà, est une réponse toute parisienne à la dictature du cool : je suis cool, mais je suis aussi plus que cool. Ce qui, après vérification, fait du Parisien quelqu'un de super cool.

CONSEIL UTILE :

À moins d'être doté d'un goût certain
pour faire le pied de grue dans la rue,
il est préférable d'éviter la rue Sainte-Anne
le samedi soir.

PARLEZ PARISIEN :

« Oh, hier soir, j'suis resté à la maison,
tranquillou, commandé des sushis,
rien de spécial… »

LES PLAQUES D'IMMATRICULATION

Il n'est pas donné à tout le monde d'être parisien. Toujours magnanime, le Parisien ne tiendra rigueur à personne de ses origines approximatives. Mais il ne pourra s'empêcher de penser que la cause du comportement fautif du non-Parisien est à chercher dans ses origines disgracieuses. Cette tendance est particulièrement perceptible pour toute interaction impliquant une automobile.

À la seconde où le non-Parisien prend le volant, il devient les deux derniers chiffres de sa plaque d'immatriculation. Son être se réduit. Immédiatement, il devient « *un 78* », « *le 42* », ou « *un 29* »... Les deux derniers chiffres d'une plaque d'immatriculation correspondent au *département*. Paris est 75. Les autres départements sentent la boue ou la dépression.

Ceux qui sentent la boue sont fort nombreux mais rares. Le Parisien les voit peu : ces 07, 86, 41, 23, 53 qui n'avancent pas, qui hésitent et cèdent la priorité aux piétons. Le conducteur est nécessairement un « *paysan* », mais le Parisien a une certaine affection pour lui et sera donc indulgent. Tel devrait être l'homme de la ville envers celui de la campagne.

À l'exception du 75, tous les autres sentent la dépression. En tête, les départements plus froids ou plus pluvieux que Paris, suivis de près par : *la banlieue*. Il est indispensable à Paris de ne pas ignorer que les 77, les 78, les 91, les 92, les 93, les 94 et les 95 sont des banlieusards. Cela implique un ego proche du néant et une éducation largement à parfaire. Au volant, ces personnes sont une menace directe. Deux départements surplombent la hiérarchie vaseuse des départements de banlieue : le 78 et le 92. Ces départements abritent des villes à pouvoir d'achat supérieur, donc moins honteux.

La circulation à Paris peut sembler chaotique pour le visiteur occasionnel, alors qu'elle obéit en fait à des règles très simples.
Règle numéro un : les piétons n'existent pas.
Règle numéro deux : les embouteillages sont toujours causés par les départements qui sentent la boue : « *C'est ce con de 27 qui bloque tout le monde depuis deux heures.* »
Règle numéro trois : tout comportement automobile outrageant est toujours le fait d'un département qui sent la dépression : « *Mais il est complètement con le 94, il va tuer quelqu'un.* »
Il est de notoriété publique à Paris que le Parisien conduit mieux que tous les autres Français. Il vit à Paris après tout.

Au bout du compte, connaître l'origine des autres automobilistes l'aide à anticiper les défauts de conduite afférents à ladite origine. Il sait bien qu'il ne sera à l'abri du danger que lorsqu'il ne sera entouré que de 75, faisant ainsi de Paris le seul endroit au monde où les gens se comportent à la ville exactement comme au volant.

CONSEIL UTILE :

Apprenez vos départements.

PARLEZ PARISIEN :

« Non, mais c'est ce con de [nombre] qui fait chier son monde… »

L'ouverture du tournoi de Roland-Garros est sans conteste l'une des meilleures nouvelles de l'année parisienne. Il annonce le printemps triomphant, verdoyant et séducteur. Ce jour de mai inaugure la douce période des mois de plaisir, fêtée dans un paganisme réinventé par la procession des Parisiens au solarium géant de la porte d'Auteuil. Le Parisien va à Roland-Garros avant tout pour bronzer.

Le tournoi est vaguement mondain. Vaguement seulement car ouvert au public, mondain toutefois car une partie en reste entièrement exclusive. Déclarer « *J'étais à Roland-Garros hier* » est un passeport plus social que sportif. La quinzaine, au charme désuet des temps polis et élégants, renvoie le Parisien à une ambiance qu'il aimerait voir durer où l'oisiveté ensoleillée est le plus chic des raffinements.

La plèbe sera cantonnée aux allées, les VIP et sponsors auront quant à eux leur badge pour pénétrer le mystérieux *Village*. Les plus pressés de ceux que l'on appelle les hommes d'affaires ne restent que deux ou trois heures à *Roland*, le temps d'une pause-déjeuner améliorée.

Une fois installé sur le *Central*, le Parisien ne s'attardera pas tant sur la balle que sur ses compères des gradins, en quête de quelque vedette. Rien ne vaut ce sentiment guilleret qui s'empare de lui lorsqu'il découvre qu'il partage tant avec les plus enviables. Si cette noble quête s'avère infructueuse, il se consolera à la vue de son joli bronzage du jour, sur lequel amis et collègues ne manqueront pas de l'interroger plusieurs jours durant.

À la fin du mois de mai, Paris se divise en deux groupes : les détenteurs d'un billet pour la finale et les autres. La première catégorie sera celle des salauds pour la deuxième. Mais peu leur importe, in petto, ils savent qu'ils ont réussi dans la vie.

À Roland-Garros, il est acceptable d'acheter un souvenir. Ce qui pour tout autre événement serait considéré comme le summum du *beauf* est absous porte d'Auteuil.
La grand-messe du printemps permet enfin le plaisir. Tout devient semble-t-il possible, une fois franchi le périphérique.

CONSEIL UTILE :

Apportez de la crème solaire.

PARLEZ PARISIEN :

« Tu vas à Roland-Garros ?
Oooh, trop d'la chance. »

Il est des questions qui définissent un pays : « *Fromage ou dessert ?* », il fut un temps, caractérisa la France. Mais la France a changé, rendant cette interrogation obsolète, et les décisions de fin de repas éminemment plus faciles à trancher. L'élagage de la modernité a fait son œuvre : la noble question s'est mue en un monolithique : « *Dessert ?* »

Si le dessert est sujet à questionnement, ce n'est pas le cas du café. Un repas sans café à Paris est comme un jour sans alcool en Angleterre – une chose bien singulière. Si repas il y a, le café viendra le conclure.
Au cours des dernières décennies à Paris, le dessert a supplanté le fromage ; puis s'est à son tour fait doubler

par le café. Les fins de repas sont à Paris moments de grande concurrence. Plus récemment, le Parisien s'est mis à trouver dans le dessert le coupable idéal : trop cher, trop calorique, trop long... Pauvre dessert. Pendant ce temps-là, le café fanfaronnait – content de lui. Fréquemment accompagné d'un *p'tit chocolat* – moqueur et narquois, presque arrogant.

Le *café gourmand* est une légitime tentative de réconcilier le café et le dessert. Sur une assiette : un *expresso* et un assortiment de desserts miniatures célèbrent le mariage glorieux du doux et de l'amer. Joie paisible et colorée.

L'assortiment des desserts se compose généralement d'un *mini moelleux au chocolat,* d'une *mini crème brûlée,* d'un *mini clafoutis* et d'une *petite boule de glace.* Mini et sucré est une combinaison qui réjouit le Parisien. Mini sucré, mini péché. Parfait...
Toute l'astuce du *café gourmand* est d'offrir café et dessert ; mieux encore, café et desserts. Avec une politesse complice, les restaurateurs flattent le galbe de la gourmandise honteuse du Parisien. Pas sûr d' (de vouloir sembler) avoir encore de la place pour le dessert ? *Le café gourmand* dans sa discrète abondance est la réponse.
Il est toutefois bon de savoir que, si commander un *café gourmand* au déjeuner est parfaitement acceptable,

le faire le soir est plus suspect. Ce qui à l'heure du déjeuner est considéré par les autres convives comme l'expression charmante d'une bon-vivance maîtrisée devient le soir venu le témoignage d'une certaine incapacité à profiter de l'instant. Par un miracle tout parisien, l'heure de la journée s'est ainsi mise à définir si le *café gourmand* avait une influence centripète ou centrifuge sur la jouissance.
L'essor du *café gourmand* dans les restaurants parisiens nous renseigne finalement sur l'évolution de la notion de gourmandise à Paris devenue vice le jour et vertu le soir.

Qui a dit que les hivers étaient longs à Paris ?

CONSEIL UTILE :

La vie est courte, prenez un dessert.

PARLEZ PARISIEN :

« Oh ouais, tiens, un café gourmand,
pourquoi pas, tiens !
Alors, combien
de cafés gourmands ? »

LES RACAILLES

Depuis deux décennies, *la racaille* est devenue *les racailles*. Alors que le phénomène prenait une ampleur géographique et numérique inédite, le mot a quitté le cocon de l'indénombrable, il a délaissé le singulier pour se fondre dans le pluriel. Pour saisir une réalité, les mots à Paris ont souvent de l'avance sur l'esprit.

Une racaille est une petite frappe, un régal sociologique, pleinement identifiable à sa brillante panoplie : accent du ghetto, accessoires du ghetto, références du ghetto et agressivité du ghetto.
Tandis que les étrangers en visite à Paris considèrent ces petits brigands de France avec beaucoup d'amusement, le Parisien est quant à lui authentiquement désemparé devant la racaille. Au cours des ans, Paris est devenue une grande centrifugeuse à testostérone, transmutant celle-ci en une denrée périphérique. Ainsi, l'homme de Paris a perdu tout ou presque de

sa virilité, tandis que, de l'autre côté du périphérique, l'on se mit à crouler sous le poids de l'hormone ostracisée.

Croiser *une racaille* dans la rue provoque chez le Parisien un vrai moment de malaise. Malaise physique : le Parisien en a bien conscience, il ne sait pas se battre et craint la brutalité physique et verbale de la *racaille*. La Parisienne redoute quant à elle ses manières irrespectueuses et agressives. Mais le malaise est tout autant social : la *racaille* incarne l'écroulement social et culturel de la douce France. Elle déteste et méprise le Parisien, tandis qu'une large majorité de Parisiens ne peut se résoudre à détester et mépriser la *racaille*, ce qui ne fait qu'amplifier la détestation et le mépris qu'éprouve la *racaille* à son endroit. Au bout du compte, les uns suintent de colères désinformées, les autres d'angélisme coupable. La centrifugeuse chauffe.

La racaille rend la vie en France moins agréable. Le Parisien prend soin d'éviter les grandes réunions publiques – car « *c'est plein de racailles* ». Le néologisme *racailleux* décrit ces environnements troubles à haute densité. Des zones comme les Champs-Élysées ou les Halles sont tout bonnement désertées par les Parisiens : « *C'est trop racailleux !* »

Un assortiment choisi d'adjectifs accompagne la *racaille*. Pleine de dédain, la jeune Parisienne parlera de « *petite racaille* », ou « *petite racaille de merde* ». Le jeune Parisien, plus craintif, préférera parler de « *grosse racaille* », « *fausse racaille* » renvoyant aux « *racailles blanches* ». Il est impossible d'être un dur

en France si l'on est blanc. *Caillera* ou *caille* sont aussi utilisés par les amateurs de rap. Les Parisiens plus âgés ignorent quant à eux très largement le phénomène et parlent plus simplement des « *jeunes* », des « *jeunes de banlieue* » ou des « *loubards* ».

Alors qu'on ne prendra jamais un Parisien à regarder une *racaille* dans les yeux, il aime s'en moquer dans le confort discret de son petit appartement. Chacun déploie alors sa propre interprétation de « *l'accent racaille* », un sketch bien rodé, mêlant un verlan daté et des gestes convulsifs qu'il croit issus du ghetto. Moins le Parisien aura vécu au contact de la *racaille*, plus il utilisera des termes comme « *zyva* »

(vas-y en verlan) ou « *9-3* ». Le Parisien connaît la banlieue.
Dans un couronnement superbe de la disparition de la femme française, nombre de jeunes filles de banlieue deviennent des « *racaillettes* » – tout aussi reconnaissables et agressives que leurs compères masculins et déambulant, elles aussi, en meutes. La *racaillisation* de la jeunesse française est en marche. Il en découle une généralisation de la sous-culture du ghetto caractérisée par une certaine haine de la France et des Français, et une fascination pour le rap, le foot et l'islam.
L'attitude des Parisiens face aux *racailles* explique l'amplitude du phénomène autant qu'il annonce le futur du pays. Les Parisiens ont raison en fin de compte... ils font bien de travailler cet accent *racaille*.

CONSEIL UTILE :

Les jeunes Parisiens
portant des marques comme Lacoste
ou Tommy Hilfiger ne le font pas tant
pour ressembler à Papa
qu'à Kool Shen.

PARLEZ PARISIEN :

« Non, c'était pourri,
y avait plein de racailles,
on est parti tôt. »

LES CHAUSSETTES BLANCHES

Le Parisien croit profondément et intimement que tout être humain doit être respecté.
À l'exception de ceux qui portent des chaussettes blanches.
Cette vision d'horreur provoque une réaction immédiate et brutale de dégoût et de mépris ; l'homme aux chaussettes blanches sera sur-le-champ exclu de la communauté des êtres humains. L'indulgence du Parisien a des limites.
Il peut alors sembler dur, mais sa réaction est à la mesure de l'offense ressentie. Un tel manque de goût devrait être illégal. Les belles idées démocratiques du Parisien ne pèsent pas lourd face à une paire de chaussettes blanches.

La bien-pensance molle s'arrête donc au rayon chaussettes. Portées avec des chaussures de ville, elles sont un indicateur social criant, la pire des fautes de goût : toute personne les arborant est à l'évidence un *gros beauf*. Distance de sécurité. Voir un *gros beauf* à la télé amuse le Parisien, le voir à côté de lui est une insulte à son ego. Certains affirment que porter des chaussettes blanches avec des chaussures de sport est acceptable. Cela est vrai exclusivement sur un terrain de sport. Ailleurs, un plus un faisant deux, chaussures de sport et chaussettes blanches : *game over*.

La chaussette blanche est le sommet du panthéon parisien du mauvais goût vestimentaire. Médaille d'argent pour la chemise à manches courtes. Un prix Nobel portant des chaussettes blanches restera toujours dans l'esprit du Parisien un gros-beauf-ok-il-est-bon-en-maths-mais-qu'-est-ce-que-j'-en-ai-à-foutre-c'-est-un-gros-beauf-c'-est-quand-même-pas-possible-putain.
Le Parisien regrettera qu'en ce bas monde une large majorité de personnes, pour juger de la qualité d'un homme, fasse passer ses accomplissements et sa façon d'être au monde avant son habileté dans le choix de ses chaussettes. Le Parisien sait bien de quelle couleur sont les chaussettes de ces gens-là.
Oui, parfois, le Parisien se sent un peu seul en ce bas monde.

CONSEIL UTILE :

Si vous venez à Paris,
évitez les chaussettes blanches, vraiment.
Il est des provocations plus utiles.

PARLEZ PARISIEN :

« Non, enfin, le mec,
chaussettes blanches, manches courtes…
la totale quoi, l'enfer. »

Parler anglais

Le Parisien parle très bien l'anglais. Généralement mieux que le français.
Mécaniquement, le français de Paris s'est vu rehaussé d'ornements britanniques.
Avec ses amis, le Parisien parle de son « *spirit* », de son « *timing* » ou de son « *management* ». Il *squeeze*, il *check*, il *switche*. Celui qui travaille dans une entreprise parlera généralement mieux anglais que les autres : il en aura une maîtrise plus large, « gérant » toute la sainte journée « *meetings* », « *slides* », « *open space* » et « *feedback* ».
Son jargon professionnel devient rapidement une deuxième nature : le Parisien est « *corporate* ». Il sait en outre que le français a ses limites. À l'évidence, il n'existe pas de mot pour *spirit* en français.
Lorsqu'il évoque qu' « *il est en speed car il a squeezé un gros meeting entre le lunch avec son boss et le conf call avec le CEO* », il n'a nulle conscience de la vague influence anglo-saxonne qui plane sur sa phrase. Tel est le prix du savoir. Un savoir acquis au travail, en voyageant ou en feuilletant des magazines. La plupart des rédactions étant basées à Paris, l'on ne saurait ainsi s'étonner de

voir fleurir dans la presse depuis quelque temps des rubriques « *fashion* », « *people* » ou « *shopping* ».
Pour le Parisien, l'anglais est secrètement plus cool que le français ; il est aussi à l'évidence beaucoup plus simple pour lui. L'usage de l'anglais devient donc un formidable outil de reconnaissance de ses pairs. Les Parisiens comprennent instantanément les exemples évoqués plus haut, tandis que seuls quelques provinciaux en seront capables. Le provincial bien souvent d'ailleurs se moquera. Tel est le prix de l'ignorance.
Face à la critique, le Parisien peut réagir de deux façons : soit il admettra : « *Ouais, je sais, c'est grave, hein, j'peux pas m'empêcher, c'est con, hein ?* », soit, magnifique de modernité, il rétorquera : « *Oh là là, évolue un peu, c'est bon, faut pas être passéiste comme ça ! Relax Max, faut vivre avec son temps.* »
Ainsi attaqué, le Parisien est victime de son propre savoir.
Vraiment, c'est hard d'être parisien.

CONSEIL UTILE :

Les faux amis ne dérangent pas le Parisien.
Si vous êtes effectivement
bilingue français-anglais, il conviendra
d'apprendre l'anglais de Paris.
Le trilinguisme est au coin de la rue.

PARLEZ PARISIEN :

« Non, mais le deal
c'est qu'y a pas de guest list, c'est tout ! »

À Paris, la performance universitaire est le principal – sinon l'unique – critère de jugement de l'intelligence. Il est donc normal que les diplômés de grandes écoles y soient considérés comme des êtres supérieurs.

Faire de bonnes études en France peut signifier deux choses : *faire médecine* ou *faire une grande école*. Le reste ne vaut rien. Les *grandes écoles* sont de deux types : grandes écoles de commerce (ESSEC, HEC) et grandes écoles d'ingénieurs (Polytechnique, Centrale, Mines, Ponts). Ajoutez Sciences-Po (qui est à mi-chemin mais jouit d'une belle réputation) et Ulm (éminemment concurrentielle mais pas à proprement parler une *école*) et vous obtenez la fameuse liste. De façon assez commode, toutes ces écoles sont situées à Paris ou alentour.

CENTRALE
POLYTECHNIQUE
ESSEC
HEC

Faire une *grande école* revêt plusieurs avantages. Le principal étant sans nul doute la préséance sociale que vous autorise ce parcours. Les mots *grande école* marquent le subconscient parisien de façon plus durable qu'un tatouage sur la peau d'un Finnois. La plupart des Parisiens n'étant pas passés par une *grande école*, ils ressentiront à vie une forme de gêne face à ceux qui en sont un jour sortis. Avoir fait carrière, avoir une famille formidable ou être simplement quelqu'un de bien aideront, certes, mais n'effaceront jamais l'amertume contenue liée à ce virage raté, entre dix-huit et vingt ans.
Tous les Parisiens partagent donc un rêve : celui de voir l'un de leurs enfants entrer un jour dans une *grande école*. Alors seulement auront-ils réussi leur vie et pourront-ils mourir en paix.
L'information selon laquelle une personne est étudiant ou ancien élève d'une *grande école* intervient généralement tôt dans une conversation. Rarement toutefois de la bouche de la personne concernée mais plus fréquemment de la part de l'ami inférieur, trop content de se targuer d'avoir un ami labellisé *grande école* devant ses autres amis inférieurs : « J'étais là-bas avec Marc, tu sais, mon copain centralien… » À ce stade, le diplômé de *grande école* adopte un profil « *Je suis comme vous les mecs* ». Cela ne le rendra que plus admirable aux yeux des autres : « *Non seulement il est intelligent, mais en plus il est sympa.* »

Il est difficile d'entrer dans une *grande école*. Il faudra généralement d'excellentes notes, énormément de travail, des parents de milieu social favorisé et un rien de chance. Cette combinaison conclue par un succès au

légendaire concours garantira à celui qui la réunit une aura de supériorité tenace.
Le fait qu'une grande majorité de diplômés de *grandes écoles* finit par venir renforcer les rangs de la silencieuse armée des cadres gris et anonymes n'est pas pertinent. Leur intelligence a déjà été validée. Ils ont gagné et tous les autres ont perdu. À Paris, entrepreneurs, artistes, écrivains, chefs ou artisans à succès ne feront jamais partie de l'élite (en tout cas de leur vivant). Cette catégorie est exclusivement réservée aux diplômés de *grandes écoles*. Les autres sont invités à passer leur chemin.
En ayant compris que l'intelligence était monolithique et entièrement déterminée à l'âge de vingt ans, le Parisien offre au monde une échelle sociale pleinement intelligible et lisible par tous.
« *Merci* », à ce stade, semble s'imposer.

CONSEIL UTILE :

La forme la plus criante de succès professionnel
est d'être le supérieur hiérarchique
d'un diplômé de grande école.

PARLEZ PARISIEN :

« Tu sais que Diane se marie ?
Un garçon très bien, ESSEC,
super sympa… »

Le jardin du Luxembourg

Le jardin du Luxembourg est le parc préféré du Parisien, avec Central Park.
Marcher dans les allées du « *Luco* » est pour lui un enchantement. Il sait en apprécier la délicieuse élégance, le style et la paix qui y règne.
Au détour d'un chêne, entre les spectres de Marie de Médicis et les dorures sénatoriales, le jardin réconciliera monarchistes et républicains.
Outre ce voyage dans la grande histoire de France dont cette auguste promenade le rend un temps acteur, le Parisien, au Luxembourg, est transporté dans son histoire personnelle. À peine franchies les grilles, les souvenirs l'assaillent. Souvenirs des après-midi passés, étudiant, à sécher les cours pour la faire à une jeune fille pétillante ; souvenirs des heures passées à lire Kant ou Levinas sur une de ces chaises si métalliques et pourtant si bienveillantes. Promesse d'un hier plus joli, le Luxembourg magnifie le temps passé, il

le trahit aussi, nécessairement. Le Parisien ne séchait pas les cours et n'a jamais lu de philosophie.
Par-delà ces douces réminiscences, le jardin du Luxembourg est un lieu réconfortant. L'étranger ne verra qu'un parc là où se cache en réalité un podium où le Parisien défile. Spectacle enchanteur.

Trois allures coexistent dans ce défilé verdoyant. On y rencontre pêle-mêle les marcheurs, les coureurs et les assis. Les marcheurs sont des touristes ou des Parisiens habitant généralement le quartier, et donc d'extraction riche et puissante. Les coureurs quant à eux se regroupent pour des tours grégaires et fréné-

tiques à la périphérie du jardin. Manège incongru de Parisiens et d'expats s'escrimant à transformer le joli jardin en petit Central Park parisien. Les assis sont aussi parisiens ou expats (les touristes n'ayant pas le temps de s'asseoir). Ils font généralement semblant de lire. L'œil exercé décèlera rapidement qu'ils ne font que prendre l'air et regarder les gens qui passent. L'homme parisien s'occupe aussi à tomber amoureux des filles évanescentes qui passent là sans le regarder. Le jardin du Luxembourg est une nécessaire respiration autant qu'une prolongation de la vie et des activités de la Rive Gauche.
En ce qu'il parle à l'esprit du promeneur, le jardin du Luxembourg capture à merveille l'essence de Paris : la nature, frais alizé dans un théâtre aride, y est apprivoisée.

Conseil utile :

Il est impératif de connaître
l'expo photo qui a cours
au Luxembourg.

Parlez parisien :

« On va se balader au Luxembourg,
j'ai besoin d'être à l'air libre ! »

Penser différemment à Paris n'implique pas une pensée radicale ou des questionnements en profondeur. Penser différemment n'implique que de sembler penser différemment. Pour ce faire, il suffit d'avoir des théories.

Le Parisien possède une opinion sur la plupart des sujets, offrant ainsi à son interlocuteur un aperçu de sa connaissance qui, c'est remarquable, relève de l'encyclopédique. Les théories démontrent que, non content d'avoir plus d'informations et de connaissances que les autres, le Parisien est capable de traiter ces flux de savoir à travers un filtre bien à lui, le filtre dit de la supériorité.

Le Parisien a des théories sur tout et tout le monde, avec, il faut l'avouer, un petit faible pour les théories politiques. Par politique, le Parisien entend deux choses : les guerres intestines pour le pouvoir et la vie sexuelle des hommes politiques.

Se présenter en société avec de l'information approximative subrepticement préthéorisée par les grands médias est un signe de faiblesse intellectuelle à Paris. Afin d'établir ce qu'il définira comme « *une bonne théorie* », le Parisien se devra de lier des faits qui ne le sont généralement pas ou d'introduire de nouveaux éléments statistiques ou analytiques. Ses théories proposent un nouvel éclairage. Le Parisien sait faire advenir la lumière.

Pour introduire ses théories, le Parisien utilise de menus effets d'annonce : « *J'ai ma théorie* », pour les théories intuitives ; « *J'ai une théorie* », pour celles plus documentées. Cette phrase aura un effet aphrodisiaque sur l'intellect du Parisien et aura pour conséquence d'obtenir une attention toute religieuse. Les plus machiavéliques tireront leurs théories par salves successives, sans même les introduire, dupant ainsi leurs interlocuteurs qui en viendront immanquablement à la conclusion que le Parisien est extrêmement intelligent.

Il est bon de savoir que très peu de Parisiens élaborent eux-mêmes leurs théories. La plupart ne font que répéter des théories séduisantes entendues ici et là, à la télévision ou de la bouche d'un oncle effectivement intelligent et cultivé. Aucun mérite ou crédit ne sera accordé à la source véritable. En matière de lumière, comme d'intelligence, la source reste le Parisien.

Lorsqu'une théorie devient éculée et trop courue, il cessera de l'utiliser, et souvent d'y adhérer, craignant de passer pour un poseur ou un *has-been* de la théorie. Il ne manquera toutefois pas de l'utiliser lors de ses voyages en province. Car le Parisien a une théorie sur les provinciaux : « *Ils sont à la masse.* »

CONSEIL UTILE :

Utilisez les théories
toujours avec parcimonie,
au risque de passer
pour un adepte de la théorie du complot
– ultime disgrâce.

PARLEZ PARISIEN :

« Moi j'ai une théorie :
les gens qui portent
des pantalons à pinces… »

Les tomates cerises

Louis Armstrong dit *tomato*. Quoi qu'elle en dise, Ella Fitzgerald également. Le Parisien lui ne connaît plus la tomate. Il préfère parler de tomate cerise.
Le Parisien est cool.
L'une des dimensions du cool implique de ne plus vraiment acheter de tomates. Comme tout ce qui à Paris fait le cool, le désamour pour la bonne vieille tomate est un chemin que le Parisien emprunte de façon très largement inconsciente. Le Parisien mangera des tomates de bon cœur, mais il ne les achètera plus. En matière de tomates, il semble que le mot *cool* fut simplement inventé pour le Parisien.

La tomate cerise présente toutes les qualités de la tomate, sans les défauts. À la question : « *Pourquoi les tomates cerises ?* », le Parisien n'aura qu'une réponse : « *J'sais pas, j'aime bien et puis ça change.* » N'en dis pas plus, Parisien – le changement est ta passion, nous le savons bien. Et nous comprenons. *Adieu tomate. Bonjour tomate cerise.*
Les tomates cerises sont partout à Paris. Au restaurant, un quartier de tomate cerise fera merveille pour rehausser à moindre frais la décoration d'un plat. Au supermarché, placer négligemment une barquette de tomates cerises dans votre panier informera le

badaud alentour que vous pouvez vous permettre cet euro supplémentaire. À la maison, les tomates ont le bon goût de ne demander aucun travail. Effort minimum, effet maximum. Il est à présent impensable à Paris d'inviter des amis à dîner sans servir des petites tomates à l'apéritif : « *C'est tout simple mais c'est sympa, c'est frais.* »

Cette lame de fond a des conséquences tragiques. Première victime collatérale : la *salade de tomates,* devenue *cheap* et datée. Elle sera avantageusement remplacée à la carte des restaurants parisiens par une salade *caprese,* plus connue comme « *tomate mozza* ».
Heureusement, parfois, le Parisien quitte Paris. Lorsque ses pérégrinations l'emmèneront en province, il découvrira presque touché que la tomate y existe

encore. Et bien souvent qu'elle a du goût. Il rentrera à Paris bien résolu à lui donner une seconde chance. Avec les tomates bio cette fois, emplies, il l'espère, de goût et de nature.
Ces résolutions feront à coup sûr long feu devant le rayon tomates cerises… charmeuses, va !

CONSEIL UTILE :

De bons légumes sur
http://www.reseau-amap.org/

PARLEZ PARISIEN :

« J'ai invité Nico et Elisa pour l'apéro.
Tu peux passer chez Monop s'te plaît ?
Tu prends une bouteille de rosé,
un peu de saucisson et des tomates cerises.
Moi, je me grouille,
je passe à la boulangerie
avant que ça ferme ! »

Il est facile de deviner l'âge d'un Parisien.
Tous les Parisiens de moins de cinquante ans portent des jeans. Tous les Parisiens de plus de cinquante ans n'en portent pas.
Le jean est le nouvel uniforme parisien. Ne pas porter de jean est pure subversion, un renoncement social. Si le costume est l'attribut du travail, le jean est celui du week-end. Le jean est affaire de liberté, le week-end aussi.
Pour celui qui ne porte pas un costume au travail, le jean est une façon de crier au monde que c'est le cas : « *C'est bon, j'suis pas un esclave du système.* » Le port du jean devient ainsi un acte de pure arrogance.
La femme aussi porte des jeans. Constamment. Si l'homme parisien possède deux ou trois jeans, il n'est pas rare que la femme parisienne en détienne une dizaine. La question rémanente lors de l'achat d'un nouveau jean, la seule qui vaille, résonne immanquablement : « *Est-ce*

qu'il me fait un gros cul ? » (Il arrive en effet à la femme parisienne d'être vulgaire.) L'homme se cantonne généralement au denim bleu. La femme n'hésite pas à repousser les limites du possible en explorant gris et noirs. Le style est affaire d'audace.
Comme pour tout uniforme, le port du jean est réglementé.

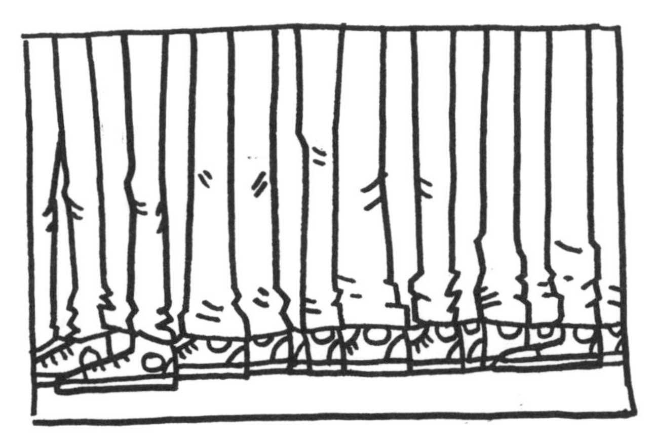

Règle numéro un : il est inconvenant de porter un jean avec des chaussures de sport. Toute personne portant un jean et des New Balance à Paris est américaine. La seule exception à cette règle concerne les Converse. Cette exception s'applique aux deux sexes. Jean-Converse est une déclinaison acceptable de l'uniforme.
La règle numéro deux est à trouver dans ce qu'il convient d'appeler la controverse Diesel. Porter un jean Diesel envoie un message clair : « *Dépenser 250 € pour un jean ne me pose pas de problème.* » (NDLR : le Parisien pense ici à son portefeuille, et non à sa conscience.)

Subséquemment, la personne en question sera l'objet de nombreuses conversations relatives à son style, ses valeurs, son succès professionnel et combien elle a changé. Tout cela n'est pas pour déplaire au Parisien. Au bout du compte, en matière de jean, l'affirmation de la personnalité se réduit à une seule question : rentrer ou ne pas rentrer la chemise. Pour l'homme, la chemise doit être rentrée, tandis que le T-shirt ou le polo ne doivent jamais l'être. Pour la femme, rentrer quoi que ce soit est rarement une bonne idée.
L'épanouissement à Paris passe par l'internalisation de certains codes et le refus de certaines pratiques. Ainsi, le Parisien se refusera à ne pas porter de jeans comme il se refusera à porter des chemises à manches courtes. Ces deux règles sont inflexibles et constituent une charpente morale fondatrice.

CONSEIL UTILE :

La coupe de votre jean
dira beaucoup sur vos préférences sexuelles.
Choisissez-la avec précaution.

PARLEZ PARISIEN :

« Faut qu'j'm'achète un jean… »

Berthillon

À l'évidence, on trouve les meilleures glaces au monde à Paris, chez Berthillon. L'adresse est connue de tous les Parisiens, sans exception.

Berthillon est l'un des rares luxes que tous les Parisiens peuvent s'offrir. La grâce de Berthillon tient dans ses glaces et sorbets. Mais l'expérience Berthillon dépasse les plaisirs glacés : le plaisir Berthillon se tricote en patience, il débute dans l'attente. L'occasion de choisir parfums et nombre de boules, une en général, deux pour les gourmands.

Une fois servi, le Parisien se promènera sur l'*île Saint-Louis* avec sa glace et demandera systématiquement à son co-Berthilloneur : « *C'est bon ?* »

Lui : « *C'est super bon.* »

C'est là l'un des seuls moments où le Parisien se comporte exactement comme un touriste. Il s'en ravit, se promenant, le cœur léger, le temps d'une glace. La glace Berthillon a sur l'âme des vertus rédemptrices.

Il est une forme de fierté à acheter une glace Berthillon. Cet achat, pour modique qu'il soit, rend le Parisien tout à la fois très sophistiqué, très distingué, très ancré et très riche. Chaque fois qu'il s'arrêtera prendre une glace chez Berthillon, le Parisien partagera la nouvelle autour de lui, une semaine durant. « *On s'est arrêtés chez Berthillon.* » Boum. *One point.*

L'essor ces dernières années des glaciers américains et plus récemment italiens a accru la concurrence sur le marché de la glace de promenade. Mais continuant de choisir, face à l'armada marketing des grandes chaînes, une petite entreprise familiale qui s'est toujours refusée à la production de masse, le Parisien sait inconsciemment qu'il s'offre plus qu'un petit plaisir. Il défend là une certaine forme de civilisation. Une certaine idée du monde. Une certaine idée de Paris.

CONSEIL UTILE :

Allez-y le soir :
une glace Berthillon,
Notre-Dame, l'île Saint-Louis
et le silence sous le ciel de Paris
sont un vrai pansement à l'âme.

PARLEZ PARISIEN :

« Berthillon ?!
Eh bah ça va, tu te fais plaisir… »

CRITIQUER LES PARISIENS

Le Parisien aime sa ville. Mais il déteste les Parisiens. Nombre de Parisiens ont grandi dans la croyance plus ou moins consciente en une forme de supériorité parisienne. La France étant un pays éminemment centralisé, Paris concentre l'ensemble des pouvoirs politiques, économiques, médiatiques et artistiques du pays. La fuite des cerveaux vers Paris ne se dément jamais. Pour les études ou pour le travail, les provinciaux les plus brillants passeront un jour ou l'autre par Paris. Beaucoup y resteront et leurs enfants deviendront parisiens. Paris regroupe donc l'ensemble des pouvoirs et des esprits, la province demeurant un lieu de villégiature et de bouseux.

En grandissant, le Parisien interagit plus fréquemment avec des personnes venues d'autres régions de France ou du monde. Ces rencontres peu à peu le façonnent et finissent par verser une tout autre lumière sur ses contemporains. Il découvre un charme qui semble faire défaut aux Parisiens – cet enracinement tenace qui fait les identités fortes, le sens de l'autre que la vie trop urbaine pilonne avec acharnement.

Pointer du doigt la froideur et l'impolitesse des Parisiens est la plus sûre façon pour lui d'exhiber sa différence et donc implicitement sa supériorité. Lorsque

le Parisien critique les siens, il se couronne, supérieur parmi les supérieurs.
Prétendre que les Parisiens sont froids, snobs, fermés et pas fun n'est toutefois pas une révélation renversante de nouveauté. La vraie question posée alors est finalement : « *Et donc ?* » Le Parisien frondeur est peu enclin à y répondre : il laisse cette tâche aux autres, satisfait de l'intelligence qu'il a déversée sur le monde. La quadrature du cercle est ainsi vite atteinte pour tout problème ayant trait aux Parisiens.

La prise de conscience relevée ici pose toutefois un problème de taille au Parisien en ce qu'elle a un impact direct tant sur sa qualité de vie que sur la perception qu'il peut en avoir. Dès lors, une immense difficulté lui échoit : comment se faire de nouveaux amis, provinciaux ou étrangers. Le Parisien apprécie la fraîcheur de ces gens et leur approche plus légère de la vie.

Mais passer de bons moments et prendre pour ami sont choses bien différentes. Le référentiel commun manque et la matrice de l'amitié depuis longtemps rouillée s'enraye bien vite. Le Parisien trouvera bien des excuses, et c'est heureux. Car pour lui, fréquenter un provincial ou un étranger est un peu comme pour un adolescent fréquenter une jeune fille aux formes généreuses : il n'est pas facile d'admettre ouvertement que c'est ce que l'on préfère.

CONSEIL UTILE :

Si, en tant que non-Parisien,
vous critiquez les Parisiens,
ils considéreront vos propos avec mépris.
Philistin ! Seuls les Parisiens
peuvent critiquer les Parisiens.
Seuls les Parisiens comprennent.

PARLEZ PARISIEN :

« Non, et puis les gens sont froids à Paris,
c'est horrible. »

Le Parisien aime la beauté de Paris. Cette beauté l'habite. Il aime la célébrer en images. Livres d'images et posters sont les deux outils qu'il choisit pour célébrer cet amour chez lui.

Les images de monuments, chose bien commune, seront proscrites (même si certains Parisiens paresseux aimeront afficher la fameuse série d'images relatant la construction de la tour Eiffel). La vague Aristide Bruant est largement dépassée elle aussi.

De nos jours, le Parisien affichera sur son mur, sur son frigo ou dans ses toilettes une photo de Robert Doisneau. Ses clichés en noir et blanc mettent en scène les Parisiens – souvent enfants ou amants – d'un Paris révolu. Ils apportent à une pièce une note mélancolico-artistico-déprimante à laquelle le Parisien ne peut résister. Le Paris de ces photos est le Paris éternel, romantique et populaire. Comme Doisneau le disait lui-même : « *Ma photo, c'est le monde tel que je souhaite qu'il soit.* » Le Parisien comprend

cela. Lui aussi aimerait que le monde soit charmant et mélancolique. Et surtout en noir et blanc
Comme pour toute chose *mainstream* à Paris, une classification sociale implicite existe. Le choix de la photo affichée sera un indicateur sûr de caractérisation sociale. Le bas de la hiérarchie est à l'évidence le plus connu de ses clichés : *Le Baiser de l'Hôtel de Ville*. Toutes les adolescentes parisiennes possèdent une reproduction de cette image. L'adulte affichant cette photo enverra clairement le message selon lequel il en est resté au stade de l'adolescente attardée ou, à défaut, qu'il ignore le canevas précis qui fait les codes sociaux. Les deux hypothèses conduisent au ridicule et à une dégringolade sociale immédiate.

La photo de Doisneau choisie par le Parisien aidera ses invités à brosser un portrait plus juste de leur hôte. Les âmes vagabondes chériront *Les Pains de Picasso*. Les libres-penseurs opteront pour *Les Frères, rue du Docteur-Lecène*, les carabins souriants pour *Le Regard oblique*, les nostalgiques pour *L'Information scolaire, école rue Buffon*. Une *photo de Doisneau* dans un appartement parisien est, tout comme un statut Facebook, une déclaration non équivoque d'identité.
Le travail de Doisneau résonne plus particulièrement chez la femme parisienne. L'homme parisien s'en

accommode bien volontiers. Si le choix de la photo à afficher venait à être sujet de conflit, le couple choisirait la sagesse et s'offrirait *un beau livre de photos de Doisneau*. Le livre trônera sur la table basse et sera toujours un succès auprès des invités, qui s'installeront dans le canapé, tourneront religieusement les pages et diront simplement, de temps en temps : « *J'l'adore celle-là, elle est trop bien.* » Le Parisien répondra : « *Laquelle ? Montre.* » L'invité montrera. Et c'est l'art qui progressera.
Paris restera pour longtemps encore la capitale mondiale de la culture.

CONSEIL UTILE :

Impressionnez vos amis
en connaissant un autre photographe
que Robert Doisneau.

PARLEZ PARISIEN :

« J'adooore Doisneau. »

Il n'est pas convenable d'être raciste à Paris. Il est en revanche tout à fait acceptable de taper sur les Chinois.
Le Parisien ne ressent aucune gêne à proférer des généralités outrageantes sur les Chinois. N'étant pas raciste, il ne s'attardera pas sur les caractéristiques que partagent tous les Chinois. Ainsi, il ne dira pas que les Chinois sont fourbes. Il sait bien que c'est le cas, mais – n'étant pas raciste – il ne le dira pas.

Le Parisien étant un fin analyste de la situation du monde, il préférera parler d'économie et de géostratégie. Deux sujets qu'il connaît bien. Chaque fois que le mot « *Chinois* » sera prononcé dans une conversation, un premier lancera à tout coup : « *Ils sont en train de tout racheter.* » Les autres acquiesceront d'un sourire. Si la discussion se fait plus sérieuse, le Parisien deviendra plus grave. Pour exprimer ses craintes, le Parisien, homme de mesure, partagera son tourment : « *Ils vont nous bouffer.* » Si le Parisien est déjà allé en Chine, il lâchera, énigmatique dans l'alarme, un « *vous vous rendez pas compte* ».

L'argument est fragile. Car le Parisien se rend bien compte. À Paris, la communauté chinoise était, jusqu'à il y a quelques années, circonscrite au 13ᵉ arrondissement. Puis, il y a quinze ans, le Parisien a commencé à interagir avec les Chinois pour leur acheter du matériel informatique. Cela se passait dans le 12ᵉ arrondissement. Depuis dix ans, les Chinois ont pris le contrôle du textile et leurs échoppes fleurissent dans le 2ᵉ et le 3ᵉ. Tout cela passe encore. Ce dont le Parisien a du mal à se remettre est la prise de contrôle des cafés et bars-tabac par les Chinois. Au revoir Auvergnats ! Bonjour Chinois !

Le Parisien trouve plusieurs explications à une telle évolution : « *Ils sont travailleurs* » est la principale. C'est juste. Mais le Parisien est bien conscient que cela n'explique pas tout. Deux théories président alors : « *C'est la mafia* » et « *Ils s'entraident beaucoup, ils ont leur propre système de financement* ». Cette efficacité financière et commerciale redessine les rues de Paris. Année après année, des rues, des quartiers entiers deviennent chinois : Belleville est ainsi devenue chinoise, le haut du Marais également. Le paysage urbain se modifie : les boulangeries, boucheries et autres papeteries laissent peu à peu leur place à d'épouvantables commerces en gros, soldant au passage ce qui fait le charme de Paris, et donc à terme sa prospérité.

Toutes les conversations sur les Chinois se terminent de la même façon : « *Ils ne me dérangent pas, ils sont travailleurs et discrets.* » Le Parisien n'étant pas raciste, il ne poursuivra pas son raisonnement qui impliquerait sans doute d'autres communautés.
Le Parisien a beaucoup de respect pour le Chinois. Mais nul ne pousserait le respect jusqu'à avoir un ami chinois. Une telle chose n'est pas concevable, car « *ils crachent* » et « *ils parlent fort* » notamment. Une vision toute parisienne de la discrétion…

CONSEIL UTILE :

À Paris, il n'est pas nécessaire
de tenter de différencier les Asiatiques.
Ils sont tous chinois.

PARLEZ PARISIEN :

« Ils sont forts ces Chinois. »

LES RÉGIMES

Le Parisien est trop gros, il est donc au régime.
Au même titre que les récurrentes considérations sur la météo, la question du poids est l'un des simulacres d'interaction préférés du Parisien – démontrant à la fois sens de l'observation et contrition délicieuse, ambition et impétueuse résolution.
Le Parisien ne laissera pas la graisse prendre le contrôle.
Les commentaires sur les fluctuations pondérales d'une personne – fût-elle en face du Parisien – sont chose commune et largement acceptée. Être sensible, le Parisien les enrichit d'une dimension psychologisante du type « *il a pas trop la forme* ». Le Parisien manie les mots avec grâce. Cette modulation atteste un sens de l'empathie qui honore le Parisien. Le Parisien ne perçoit jamais l'autre simplement comme un corps, il sait qu'il est avant tout une âme.
Seule une expression pourra précéder les commentaires sur le poids : « *Bah dis donc.* » « *Bah dis donc, t'as pris un peu, non ?!* » Ou, à l'inverse : « *Bah dis donc, t'as vachement maigri.* » Il est bon de savoir que le Parisien ne se réjouira jamais pleinement de la perte de poids d'un ami, car, au fond de lui-même, la seule pensée qui l'obsédera est que son propre poids ne suit pas la même noble courbe.

Une erreur fréquente consiste à croire que seules les Parisiennes suivent des régimes. Paris est ainsi l'unique ville au monde où un homme peut manger une salade au déjeuner sans que l'on puisse raisonnablement tirer de cette observation des conclusions quant à son orientation sexuelle.

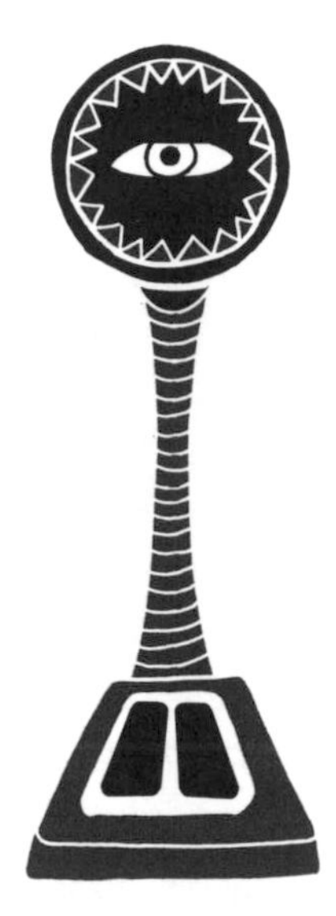

Le régime à Paris n'est jamais suivi à la lettre. Particulièrement parmi la gent masculine. La vie sociale parisienne sape toute possibilité de régime strict. Et donc de perte de poids réelle. La femme parisienne essaiera de suivre les régimes soufflés par quelque amie ou magazine féminin. L'homme parisien ne prendra pas de dessert. Il est important de noter que le Parisien n'est jamais « *au régime* » : il « *fait gaffe en ce moment* ». Pas pareil.

À Paris, l'on se délecte des produits portant les irrésistibles mentions « *0 %* », « *allégé* » et « *light* ». Il est tout bonnement devenu impensable pour la Parisienne d'acheter des yaourts qui ne sont pas « *0 %* ». Cela serait en effet idiot.
Tandis que le reste du monde veut plus pour moins, le Parisien lui veut moins pour plus. Le régime à Paris est chemin de sagesse.

CONSEIL UTILE :

Complimentez le Parisien
sur sa perte de poids.
Il fera mine de ne pas être touché
mais c'est un feu d'artifice intérieur
qui se déclenchera en lui.

PARLEZ PARISIEN :

« Un p'tit dessert ?
– Non, j'fais gaffe en c'moment. »

LE PSG

À Paris, la forme la plus aboutie de dégradation mentale est de soutenir un club ou une équipe.
Le Parisien n'aime pas trop le sport. En faire est dégradant, le regarder est simplement honteux.
Si un ami évoque une soirée passée à regarder « *du foot à la télé* », le Parisien saura se révéler compréhensif. Ce qu'il ne comprend pas et qu'il ne tolère pas est le soutien fervent à une équipe de sport en particulier.
Le soutien aveugle et continu à une cause est pleinement acceptable à Paris si la cause est sociale ou politique. Le soutien aveugle et continu à toute autre forme de cause doit être traité avec le plus acide des mépris.
Il conviendra toutefois de relever que le Parisien trouve un certain charme romantique aux supporters de Marseille, de Lens ou d'Amérique du Sud. Des passionnés ! Le contexte social qui fait leur quotidien, mêlé à l'attachement viscéral qu'ils ont pour leur club, rend leur fantaisie et leur passion touchantes. Tous les

autres supporters de foot au monde sont en revanche d'irrémédiables beaufs.
Ainsi, à Paris, soutenir le Paris Saint-Germain est-il le plus ridicule des passe-temps. Le Parisien sait qu'il ne sera jamais lensois. Il n'a même pas le cœur de le prétendre. Son opinion des supporters du PSG ne pourra donc qu'être dégradée. Non contents d'être amateurs de sport, ils sont amateurs de football. Non contents d'être amateurs de football, ils sont supporters du PSG. Point de salut pour eux.

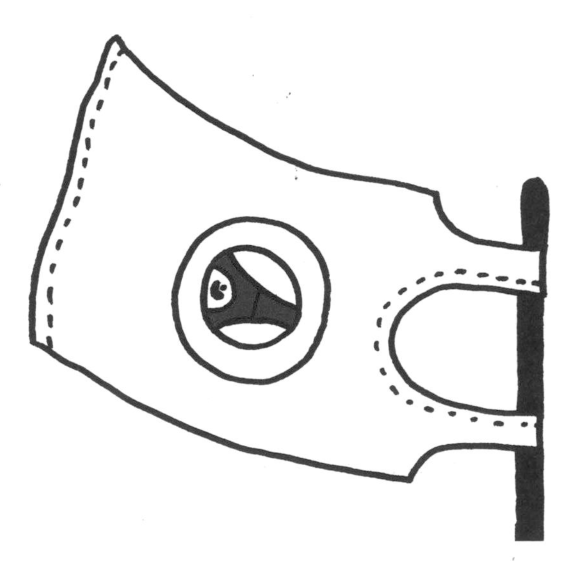

Le supporter du PSG est généralement banlieusard : se sentir le temps d'un maillot ou d'un chant un peu parisien, enfin du bon côté du périphérique. Mais la Ville lumière ne s'offre pas si facilement : elle éconduit

le fan, et ses gardiens inconscients mais fidèles le bannissent sans ménagement.
La haine contre le PSG est si profonde qu'aller assister à un match au Parc des Princes est devenu une forme de disgrâce, une officialisation de son identité de beauf. Aller en revanche voir le Stade Français est affirmer son attachement à un certain art de vivre. Le Parisien est un homme de goût et sait trancher entre football et rugby.
Le Parisien est satisfait de mépriser le PSG. Ce faisant, il dit à qui veut l'entendre qu'il n'est pas un beauf. Détester le PSG est pour le Parisien une affirmation inconsciente de sa supériorité. Dans la haine, le Parisien grandit.

CONSEIL UTILE :

N'offrez le maillot du PSG
à aucun Européen.
Il ne le portera pas.
Il ravira en revanche les amis non européens.

PARLEZ PARISIEN :

« Tu vois le mec, ambiance, genre euh…
supporter du PSG ! »

Le Parisien est adulte. Il n'a pas le temps de batifoler ou de s'éparpiller. La vie est bien trop sérieuse.
Généralement content d'être adulte (grandir à Paris n'était pas si drôle), il n'est qu'une chose susceptible de ramener pour quelques minutes le Parisien à l'enfance : la neige. Le Parisien n'est pas client des parcs d'attractions. C'est la neige qu'il aime.
Elle ne tombe que rarement à Paris : un an sur deux, une averse de vingt minutes. Le Parisien adore la neige. Évanescente, elle a le charme délicieux des choses éphémères. Le Parisien ne sait y résister.
À la seconde où il commence à neiger, le Parisien (souvent le plus oisif) observe : « *Oh, il neige !* », ce qu'il confirmera vite d'un : « *Regardez, il neige.* »
Les autres Parisiens s'exécutent : en effet, il neige. S'ensuivent alors des échanges pénétrants où scintillent des « *J'adore la neige* » ou des « *C'est trop beau* ». La profondeur n'est pas la moindre des qualités du Parisien.

Tout alors à Paris s'arrête, la ville se suspend. Poétique minute, entre la vraie mélancolie et le bonheur simple.
La vraie mélancolie étant chose trop intime et le bonheur simple une vue de l'esprit, le Parisien choisit plutôt de se ressaisir. Les états de latence ne sont pas faits pour durer. Le Parisien reprend le dessus. Commence alors la litanie des échanges expliquant tantôt que la neige finit par « *faire crade à cause des voitures et de la pollution* », tantôt qu' « *en banlieue, il fait plus froid, donc ça tient mieux en général* ».
Ce petit jeu de jambes de la conversation qui se réchauffe n'a pour autre but que de balayer loin, très loin, l'instant poétique.
S'ouvrir à l'émotion – le Parisien le sait bien – est une pente bien glissante.

CONSEIL UTILE :

Une bataille de boules de neige
n'est acceptable qu'au sortir
du temps de latence évoqué plus haut.
Après cela, la bataille de boules de neige
relève de l'enfantillage.

PARLEZ PARISIEN :

« J'aime trop la neige,
ça me donne envie d'aller au ski. »

LES AMÉRICAINS

Le Parisien a une physiologie bien à lui. Des éléments telle une certaine inaptitude à sourire en sont des manifestations bien connues. D'autres en revanche passent inaperçus à l'œil inexpert : une expérience intéressante consiste lors d'une conversation avec le Parisien à placer les termes « les Américains » dans une phrase. Ces mots, quelle que soit la phrase qui les accueille, déclenchent immédiatement une réaction chimique dans le cerveau du Parisien. À la seconde où il entend « les Américains », le Parisien perd implacablement le fil de ses pensées. Une seule idée s'empare de lui – petite syncope intellectuelle. La révélation est plus forte que lui, il doit la partager. Il n'entend plus rien. Le verdict tombe – irrémédiable :
« *Oui, mais les Américains, ils sont cons.* »
Les Américains sont tous cons. Il n'existe aucune exception à cette règle. Le fait que les États-Unis soient depuis plusieurs décennies le plus riche, le plus créatif et le plus puissant des pays de la planète ne

saurait constituer un quelconque contrepoint à cette certitude. Le fait que tous les Parisiens portent des vêtements américains, utilisent des mots américains, écoutent de la musique américaine, ou fantasment sur des célébrités américaines non plus.
Les Américains sont tous gros et idiots. Point.

Le Parisien ayant voyagé aux États-Unis aura une opinion plus modérée : le voyage rendant magnanime, il trouvera les Américains simplement superficiels. Voyager rapproche sans nul doute le Parisien des cultures visitées. « *Les Américains, ils sont hyper superficiels* » est une phrase à laquelle il est impossible de couper lors d'une discussion à Paris sur l'Amérique ou les Américains. Quelle que soit son extraction sociale, le Parisien envisagera toute interaction avec une personne ayant grandi aux États-Unis comme irrémédiablement fausse et creuse.
La cordialité immédiate ou l'enthousiasme dont ils font preuve le rendent fou : « *Mais pourquoi ils sourient ? Ils sont cons ou quoi ?!* » La cordialité, l'enthousiasme et l'optimisme sont des qualités très américaines. À Paris, ces traits de caractère sont les symptômes discrets d'une forme de dégénérescence intellectuelle, la preuve d'une absence aiguë de raffinement. Péché capital. Savoir si cette vision est fondée sur une quelconque forme de réalité importe peu : à l'évidence, c'est le cas. Le Parisien sait que l'Américain a pour seuls centres d'intérêt l'argent, le sport, la guerre et la religion. Il ne peut aspirer à rien d'autre.
Et c'est là une raison bien suffisante pour régurgiter sur l'Amérique tout le mépris que le Parisien nourrit pour l'opulence de la vie occidentale. Il est vrai après

tout que le Parisien ne participe en rien de ce mode de vie occidental.
Si d'aventure un convive venait à avancer l'idée provocante selon laquelle dans un pays comme les États-Unis, tout le monde ne peut décemment pas être idiot, le Parisien sortirait sa carte maîtresse : « *OK, peut-être, mais ils sont complètement incultes, c'est grave quand même.* »
Ces personnes correspondent à deux sociotypes bien

identifiables, mais bien distincts. D'une part, ceux dont les loisirs consistent largement à regarder *Les Experts*, *Grey's Anatomy* ou *Sex and the City*. De l'autre, ceux qui vouent un culte à Woody Allen ou à Philip Roth. Le Parisien est un consommateur avide de culture américaine et pour autant, il est intimement persuadé que l'association des mots « culture » et « Amérique » relève de la farce la plus grotesque. Pour preuve, et comme aime à le rappeler le Parisien : « *Woody Allen, il est pas américain, il est new-yorkais.* »
Il serait alors impoli de dire au Parisien qu'à l'entendre, on se croirait dans un bar country du Midwest. Et, malgré sa connaissance profonde de l'Amérique, il y a des chances que l'astuce lui échappe.

CONSEIL UTILE :

Et si l'optimisme, l'enthousiasme
et la cordialité étaient des qualités ?

PARLEZ PARISIEN :

« Oh my God, it's amazing !! Ha, ha, ha ! »

Le Parisien a des doutes sur le mariage.
À chaque annonce de mariage, il frétille mécaniquement, mû non par la bonne nouvelle, mais bien par la missive qui la porte. Le faire-part est délice, annonciateur tant des origines des convoleurs que de la valeur sociale qu'il conviendra d'attacher au nouveau foyer. Il s'écrit d'une encre indélébile : les amis le trouveront « *super classique* », « *hyper moche* » ou simplement « *original, disons* ». Le faire-part est un examen auquel l'on ne peut qu'échouer. Mécaniquement donc, le Parisien frétille.

L'excitation des premiers instants laisse rapidement place à l'anticipation d'une lassitude. À Paris, la lassitude se conjugue d'autant plus facilement au futur que la pensée s'invite dans l'instant, elle l'harmonise de gris : le Parisien ne veut pas aller à ce mariage. Car l'idée même d'un événement festif le dérange. Lorsque l'événement festif devient obligation, il ne répond plus de rien. Il se défendra bec et ongles contre la spirale du non-sens, mais finira par abdiquer. Le Parisien le fera avec résilience, la Parisienne dans un stress hystérique : « *Oh là là, j'ai rien à me mettre. Et puis j'suis grosse, faut absolument que je perde cinq kilos d'ici le mariage.* »

Vient alors le jour de gloire. Chaque fois, le même enchantement. Les jolies toilettes, l'adorable église, l'oncle un peu beauf... Le Parisien sourit : il est, pour quelques minutes, véritablement heureux d'être là. Puis, peu à peu, le plaisir apaisant des rassurantes cérémonies de la vie s'étiole et les sens engourdis vibrionnent derechef. La délicieuse perspective de faire pénétrer des individus en tenue du dimanche dans de petites boîtes inconfortables et scellées à jamais excite le Parisien : « *Oh, putain, tu l'as vu l'autre avec sa cravate, oh là là, putain, c'est pas possible...* » Tout y passe : le lieu, les invités, le repas. Le Parisien s'occupe à juger plutôt qu'à profiter. Il est impossible de s'amuser davantage.

Ces dernières années furent années de surenchère en matière de banquet de mariage. L'inflation parisienne ignorant le sensoriel, elle a pris la forme d'une nouvelle maïeutique : celle des discours de mariage. Entre chaque plat, deux ou trois discours. Chaque fois, les mêmes interrogations haletantes fusant autour des tables : « *C'est qui ça ? Ah, les copains d'école ?! Il a fait l'Essec lui ?! Bon, ça devrait être bien.* » Seules deux issues sont possibles : les invités sont captivés ou affligés. Les plus polis regarderont leur assiette – les plus malicieux chercheront un complice avec qui grimacer.

La sophistication d'un discours prend souvent des atours visuels, bricolages de vieilles photos tantôt touchantes, tantôt embarrassantes. Le summum du discours de mariage reste cependant l'indépassable chanson : cousins, amis, collègues..., chaque groupe cohérent ressent la troublante obligation de récrire à la gloire du couple une chanson bien connue. Tandis que certaines d'entre elles confinent au génie comique, la plupart naviguent en des eaux incertaines, entre le simplement inutile et le tout bonnement gênant. Au moment précis où un ami saisira le micro : « *Lili, Nico, on vous a préparé une p'tite chanson* », Lili, pour la première fois, considérera la fuite comme un scénario, sinon souhaitable, en tout cas parfaitement raisonnable.
Le reste de la soirée fait partie de la petite légende ordinaire : les aînés iront se coucher après la pièce montée, les amis d'école se saouleront et danseront leur jeunesse qui fane, et les célibataires regretteront l'époque où les mariages étaient l'occasion de faire des rencontres. Les jeunes mariés ne verront pas le temps passer.

Le lendemain, tout le monde sera d'accord pour dire que « *non, vraiment, c'était super* ». Super est un adjectif

suffisamment enthousiaste pour ne pas sombrer dans la certitude.
Les doutes suffiront.

CONSEIL UTILE :

En matière de discours, la mesure n'est pas la meilleure des inspirations.

PARLEZ PARISIEN :

« Écoute, finalement, c'était hyper sympa le mariage. Ça me saoulait un peu d'y aller, mais vraiment super cool finalement. Bon, à part le DJ, ça, c'était la cata, sinon, le reste vraiment, c'était super. »

LA MUSIQUE CLASSIQUE

Même si pour la plupart des Parisiens, « Quatre Saisons » est un type de pizza, « Rameau » renvoie à un dimanche dont la signification lui échappe et « Rossini » est sans conteste une façon de cuisiner le tournedos, les Parisiens sont tous indéniablement de grands amateurs de musique classique.

À la question : « *T'écoutes quoi comme musique?* » la plupart des Parisiens répondront : « *Oh, un peu de tout! Des conneries à la radio, un peu de chanson française, Brel, Brassens et puis un peu de classique.* »

Lors, le Parisien ne se fait jamais plus précis, en abordant son amour pour Bach ou Liszt. Jamais il n'évoque non plus cette symphonie dont il ne se lasse pas. Ses effusions publiques pour la musique classique se cantonnent à des phrases sobres et profondes telles « *Ça me détend* » ou « *Ça me fait du bien* ». Le Parisien n'est jamais avare d'hommages grandioses.

À tant proclamer son amour pour la musique classique, il a fini par s'en persuader : il aime la musique classique. Le fait qu'il n'en écoute strictement jamais ne saurait être une objection raisonnable à cette jolie conviction.

Chaque Parisien peut se remémorer avec précision ces trois minutes l'année passée, où, lors d'un trajet en voiture, en cherchant une bonne chanson à la radio, il est tombé sur du classique. Dire aimer la musique

classique n'est alors qu'un des éléments composant la brillante parure que le Parisien cultivé aime arborer en société. De la même façon, le Parisien cultivé enjoindra ses amis de « relire » tel ou tel écrivain, il adorera un auteur dont il n'a lu qu'un seul livre, ou affirmera avec aplomb avoir une connaissance très profonde de la culture juive ayant eu une petite amie juive au lycée. Le Parisien cultivé est reconnaissable en ce qu'il fait cela en toute bonne foi.

Dans cette mascarade nonchalante, parfois la grâce survient. Lorsqu'il entend un morceau de musique classique qu'il reconnaît, le Parisien ne peut s'empêcher de siffloter. Alors, oui, parfois, à Paris plus qu'ailleurs, le silence est d'or.

Conseil utile :

De nombreux concerts de classique
se tiennent dans la splendide
Sainte-Chapelle. (Re-)Faites-y un tour !

Parlez parisien :

« Ouais, mais en même temps,
tu vois, Hitler il adorait Wagner. »

LE MARCHÉ

Même s'il fait ses courses au supermarché, le Parisien adore le marché.
Seules deux catégories de Parisiens vont au marché pour faire leurs commissions : les vieux et les femmes au foyer.
Les vieux ont pour eux l'expérience. Celle d'années passées à arpenter leur marché. Les chemins tortueux du sommeil quand arrive le grand âge font le reste. Les vieux seront les premiers au marché et donc les mieux servis. Entre 8 heures et 9 heures, le marché est un endroit charmant : les vieilles dames, dans un petit empressement cocasse, s'y affairent. Elles promènent leur brin de gourmandise comme le dernier des vices dont elles profitent encore, de ces vices apprivoisés qui font l'élégance.
À mesure que le jour finit de s'expliquer avec la nuit, l'ambiance et la population du marché changent. Les vieilles dames se font plus rares. Les femmes au foyer font leur entrée, équipées. Poussant, tirant, landaus,

caddies, poussettes… la femme au foyer est organisée : il faut que ça roule.
Pour les autres Parisiens, le marché est en semaine un spectacle rassurant, un goût d'immuable sur le chemin du travail. Mais tout change quand arrive le week-end. Certains Parisiens ont la chance d'avoir un marché près de chez eux le samedi ou le dimanche matin. Vision simple d'un Paris enchanté. Discrète perfection.
Le Parisien profite l'œil souriant de son marché, ses couleurs, ses bruits et ses odeurs caractéristiques. Tout y est simplicité intemporelle. Le marché du week-end est une vraie cure de jouvence. Ralenti dans le rythme pressé de la ville. Le Parisien sent qu'il se fait du bien, renouant un instant avec les plaisirs et les gens simples dont son quotidien le prive : le marché du week-end est relâchement – entre poireaux et carottes.

Parmi ces aficionados, certains viennent chercher au marché plus que des provisions. Ils y accourent pour la *vibe*. Bien sûr, ils achèteront quelques bêtises, mais le marché est pour eux une scène, une bouffée inspirée, une bouffée inspirante. Cool parmi les cools, ce Parisien se devra de montrer au badaud que le marché est pour lui une expérience qui ne relève ni de l'habituel ni du nécessaire : « *Je suis ici – mais je suis d'ailleurs.* » La différenciation immédiate intervient à bon compte par le style vestimentaire. À Paris, l'extravagance vestimentaire n'est pas à chercher dans les discothèques, mais bien au marché. Le Parisien cool va au marché vêtu de la façon la plus négligée que son amour-propre et sa garde-robe puissent permettre. Le Parisien se rêve un peu new-yorkais. Les lunettes de soleil sont pour lui un accessoire impératif pour se rendre au marché, témoignage de la grandeur de la nuit écoulée. Il est un touriste – en visite pour un instant dans la vie des gens normaux.

Qu'il soit là pour des radis ou pour l'ambiance, le Parisien aime son marché, il trouve un confort rassurant dans cette scénographie bien orchestrée. Moment fugace mais familier, riche de gens et de fruits, de sourires et de couleurs, le marché est cette ultime halte parisienne. Une halte faite de mouvements et de bruits. Une halte qui se refuse au calme. Au marché, les Parisiens considèrent le temps avec modestie. Ils se promènent, tâtent, reniflent. Prenant ainsi pour quelques minutes le risque de moments plus savoureux.

CONSEIL UTILE :

Les bons produits partent tôt.
Les bons prix arrivent tard.

PARLEZ PARISIEN :

« Ce week-end, c'était top : samedi matin,
on a fait le marché avec Baptiste,
après on a cuisiné tout l'après-midi…
tu sais, on avait nos amis sud-africains
qui venaient dîner à la maison… »

La Modération

Si les qualités étaient des maladies, la modération serait la peste parisienne.
À Paris, pas de styles londoniens, de décadence façon Las Vegas, de corps cariocas… Au frisson du bout du chemin, le Parisien préfère le confort du gris cocon.
L'excès est vulgaire. Le Parisien ne s'aventurera pas en ces terrains incertains. Il n'essaiera pas. À quoi bon essayer lorsque l'on connaît déjà ? Le Parisien ne va jamais jusqu'au bout. Il ne commande jamais cette seconde bouteille. Grossier. Il trouvera plus de satisfaction à observer les choses qu'à les vivre. Distance chérie. La distance est la meilleure amie du Parisien : sa ceinture de sécurité entre lui et sa propre vie, son rempart.
Le fléau s'est emparé de Paris. La modération, de vague compagnon, est devenue inspiration de chaque décision. De la plus insignifiante à la plus décisive. Toute une vie gouvernée par la peur. Ne pas faire de vagues. Rentrer dans le lot.
D'aucuns pourraient penser que la modération est une

forme de préservation d'un bonheur existant. Cela n'a pas cours à Paris – pour la simple raison qu'aucun Parisien n'oserait se penser heureux. Le Parisien préserve ce qu'il a – même si ce qu'il a ne le satisfait pas. Il ne vise jamais bien haut – ou bien fort : il est prudent. L'excès demande de s'oublier un instant. Il y a de la générosité dans l'excès. S'oublier pour rencontrer l'autre.

Le Parisien ne soupçonne plus guère qu'il existe un monde entre la modération et l'excès. Un monde qui fait la part belle à l'inconnu et à la nouveauté. Le Parisien est bien content de ne pas avoir à « gérer » cela. Il sait trop bien qu'en dehors de la modération, le monde n'est qu'outrage et vacuité. Le Parisien est trop sage. Celui qui s'amuse pour de vrai est, pour le Parisien, nécessairement dans l'excès. S'amuser devra donc être évité. S'amuser pour de vrai est dangereux. S'amuser pour de faux suffit bien.

Cette approche pathologique de la réalité a contaminé pan par pan tous les champs de la vie sociale parisienne. De la politique à l'art, des discussions aux looks : la modération s'est emparée des esprits, des âmes et des garde-robes.
Paris est devenue une ville tiède, peuplée de gens tièdes.

CONSEIL UTILE :

Résistez.

PARLEZ PARISIEN :

« Bon allez, je vais rentrer,
je suis crevé en ce moment. C'était cool,
on devrait se refaire ça un de ces jours… »

À Paris, horizons et perspectives furent dessinés par l'homme. L'infini s'arrête au bout de la rue. Lever les yeux au ciel dévoile une bande de gris. Les baisser également. Pour le Parisien, regarder vers l'intérieur est la seule possibilité d'entrevoir l'infini.

Un des plus grands plaisirs qu'une certaine province offre au Parisien est l'expression immédiate de la magnificence de la nature. Réprimé dans ses limbes urbaines, le Parisien vit confortablement dans un océan de béton. Quitter la ville ouvre de nouvelles fenêtres, offre de nouveaux enchantements. L'enchantement du grandiose… Le Parisien se sent rarement petit, coincé entre l'admiration et la peur. Les étoiles ont ce pouvoir sur lui.

Il est peu de choses que le Parisien aime tant que la découverte d'un ciel étoilé. Au sortir d'une maison

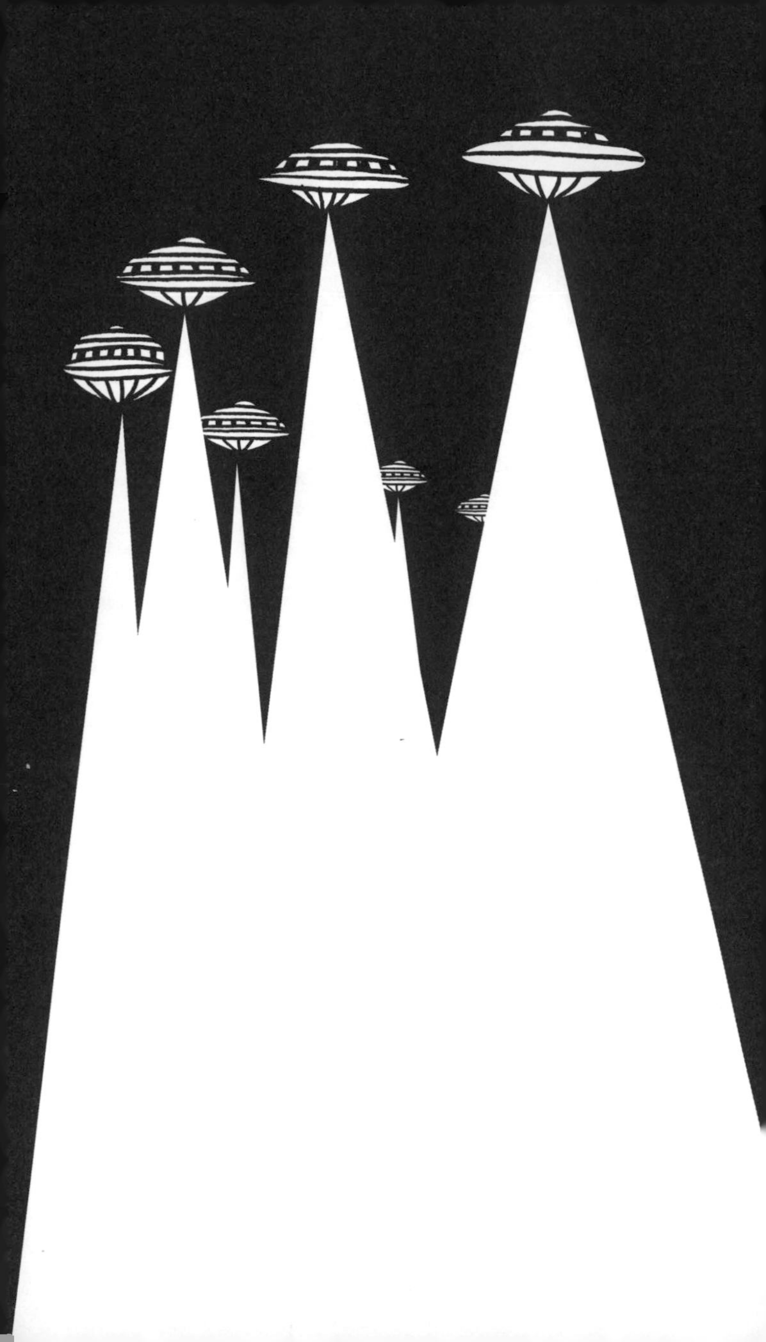

après un dîner d'automne, au sortir d'une voiture après un long trajet, le Parisien est pris de court par la beauté dédaigneuse de la nuit. Il est soufflé ; charmé et habité par cette vision qui le dépasse. Enfin, quelque chose le dépasse.

Les étoiles n'aiment pas la concurrence. Dans la Ville lumière, elles préfèrent se faire discrètes. Les voir est chose rare pour le Parisien. L'émotion qu'il ressent face aux étoiles est pareille à celle éprouvée face à la mer déchaînée, ou à la montagne impériale : de ces émotions supérieures de l'homme loin de son antre. Cette pause où le grandiose apaise du petit. Une invitation immense à l'intime.

Les étoiles confirment au Parisien son intuition enfouie : la vie offre mieux que la médiocrité et la laideur dont il se trouve entouré. Il se sent proche de cet inconnu-là.

Et il sourit.

Conseil utile :

Laissez la Grande Ourse tranquille.

Parlez parisien :

« Oh… t'as vu les étoiles ?! »

LE MOT SYMPA

En Amérique, on peut se débrouiller en ne maîtrisant que dix adjectifs. À Paris, un seul suffit : sympa.
À l'origine, sympa était un diminutif pour sympathique : était sympa la personne de bonne composition. Puis, tout est devenu sympa : les gens, les lieux, les moments, les activités... Formidablement non impliquant, le terme est devenu courant à Paris. La plupart des choses peuvent non seulement être sympas, mais, miracle, elles le sont presque toutes devenues. Ainsi, à Paris, la question « *C'était comment ?* » ne peut avoir qu'une seule réponse : « *Sympa !* »
Avec cet usage extensif, le Parisien a vidé le mot de sa substance. Seule l'intonation aujourd'hui permet de définir les contours de sa signification réelle. Pour percer à jour ce que le Parisien pense réellement de telle chose ou personne, il faut prêter une oreille attentive quant à la façon dont est lancé le « sympa » qu'il ne manquera pas de formuler en guise d'opinion. Alors seulement peut-on accéder à son sens profond.
Si le terme est devenu si fréquent à Paris, c'est qu'il porte en lui des ferments dans lesquels le Parisien aime baigner : son inhérente familiarité le fait paraître cool et relax. Il est aussi un formidable tampon contre toute forme d'enthousiasme. « Sympa » est positif mais bien moins qu'excellent, génial, exceptionnel, formi-

dable ou fantastique. C'est juste sympa. En qualifiant quelqu'un ou quelque chose de sympa, le Parisien lui décerne un bon point. Mais un point seulement.
Un peu de mesure...
Sympa renvoie à l'objet. Et non à la personne qui prononce le mot. L'objet expire. Le Parisien est étonnement passif lorsqu'il qualifie un objet de sympa. Cette posture d'humilité est une autre des raisons principales du succès de ce mot. Je juge sans juger. Quoi que je dise, ça n'est pas ma faute. Le Parisien se complaît dans ce sentiment tiède d'innocence sociale. Crépuscule des flamboyances.

Sympa

À mesure que sa portée s'est élargie, le poids du mot a diminué, ennoblissant ainsi des expédients tels que « hyper sympa » ou « super sympa » au rang d'expressions centrales de la vie sociale parisienne. Parmi la jeunesse parisienne, le mot sympa est si central que l'employer dépourvu de hyper, super, vraiment ou carrément est devenu suspect. Si un jeune Parisien vous dit qu'un endroit est sympa,

c'est qu'il n'a pas été emballé. Avec un amoncellement d'adjuvants positifs, la jeunesse parisienne parvient à assombrir la réalité.
Sympas, ces jeunes !

CONSEIL UTILE :

Pour monter en gamme socialement,
préférer l'adjectif formidable.

PARLEZ PARISIEN :

« C'était sympa, mais je suis rentrée tôt,
j'étais crevée. »

Les piétons

La circulation à Paris peut sembler chaotique et désorganisée, dédale bruyant de métal et de gris. Il n'en est rien. La circulation y est à la vérité chose bien harmonieuse ; et les Parisiens s'y sentent chez eux. Les règles de circulation qui y prévalent sont simplement largement tacites. Elles régissent la juste conduite tantôt sur la route, tantôt à l'égard des autres usagers de la route. Elles définissent le niveau d'insulte acceptable et fournissent un cadre clair aux interactions entre conducteurs et piétons.

À Paris, le trottoir appartient (principalement) aux piétons et la chaussée (principalement) aux automobilistes. Scooters, vélos et autres objets roulants ont pris l'habitude de choisir leur terrain d'élection au gré des encombrements. Passer joyeusement de l'un à l'autre est acceptable – mais le slalomeur à roulettes devra alors s'accommoder des grognements des grincheux.

Le Parisien sait d'expérience qu'une voiture ne s'arrêtera pas pour un piéton, particulièrement à un passage clouté. La voiture commettant l'erreur de s'arrêter à un passage piéton sera à juste titre klaxonnée et son conducteur immédiatement suspecté de provincialité ou de sénilité. Sachant qu'il n'est pas le bienvenu sur les clous, le piéton parisien traverse les rues de façon peu orthodoxe. Il est ainsi fort logique pour lui de traverser au moment et à l'endroit qui lui sembleront opportuns. Telle est, en la matière, la règle qui prévaut.

Hormis les vieux, qui ne peuvent se résoudre à quitter les passages protégés pour traverser la rue, le reste de la foule béante au feu est composée de banlieusards, de provinciaux et de touristes. Cette sociologie éparse et douteuse renforce l'automobiliste parisien dans sa conviction que s'arrêter pour laisser la priorité serait une idée bien étrange.

Quant au piéton parisien, il sait pour sa part dès le plus jeune âge qu'il est engagé dans une lutte frontale avec les automobiles pour la domination de la route. Le Parisien est un être urbain bien entraîné.

Sur la chaussée, il est sans peur et, latin pour quelques instants, il le montrera, s'engageant pour traverser la

rue avec une autorité presque brutale, sous les yeux un rien crédule des touristes inquiets.
L'autorité dépourvue en l'occurrence de référence à la règle écrite et affranchie de la plus rudimentaire des politesses est néanmoins chose dérangeante pour le Parisien. Tout cela manque de beauté. Ainsi, pour ré-enchanter la traversée de la rue, le Parisien se lance-t-il dans une danse inconsciente et élégante, dont les pas s'articulent sur la confiance en l'autre : « *Je te domine, mais j'ai confiance en toi.* » Dans cette grande corrida urbaine, le piéton voudra ses voitures rapides, impétueuse et frôlantes : le raffinement consistera alors à traverser en ne changeant rien de son allure, caressant d'un mouvement du bassin les volutes de voitures. Dans cette sensualité éperdue, le Parisien ressent le frisson de la maîtrise. Maîtrise de la ville et de ses codes. Il est chez lui. Jusque dans la plus anodine des traversées – celle d'une rue – le Parisien, mi-danseur, mi-matador, reste fidèle à son identité – toujours floue mais toujours confiante, invitant secrètement les autres à l'observer, apprendre et admirer.

CONSEIL UTILE :

N'attendez pas à un feu.
Il existe nécessairement une autre solution.

PARLEZ PARISIEN :

« Attends, viens, on traverse… »

La question « Où aimeriez-vous vivre ? » ne saurait à Paris tolérer qu'une seule réponse : New York. Vivre à New York est le rêve du Parisien.

Il aime à se penser culturellement au point. Comme tout être de culture, il façonne sa perception de la réalité d'un lieu ou d'un peuple sur la foi des chefs-d'œuvre qui la relatent. Dans le cas de New York, son imaginaire fut nourri de *Maman j'ai encore raté l'avion*, *Friends*, *Vous avez un message*, *Sex and the City* ou *Le Diable s'habille en Prada*. Le Parisien veut faire partie de cette réalité new-yorkaise et lui aussi retrouver ses amis au *Central Perk*.

Bon nombre de Parisiens font donc un jour le voyage. Pour la plupart, la boîte de Pandore s'ouvre alors : New York est aussi vibrante que Paris est assoupie ; aussi jeune que Paris est vieille ; aussi rapide que Paris est lente. Le Parisien a toujours aimé le charme de Paris, mais le voilà soudain hypnotisé par le sex-appeal de

New York. Paris est l'épouse du Parisien, New York sa maîtresse.
Le Parisien ressentira alors le besoin irrépressible de proclamer au monde son amour pour New York. Le jeune Parisien l'affichera en portant des vêtements siglés NY. Le T-shirt I Love New York étant ainsi un must. Porté convenablement, il sait être le summum tantôt du chic, tantôt du cool. Le Parisien stylé préférera un T-shirt NYPD. Les vêtements siglé FDNY sont en revanche exclusivement réservés à la communauté gay parisienne.

Il n'est rien de plus chic que d'avoir des amis new-yorkais. Accéder à ce panthéon de culture donnera pour longtemps au Parisien un ascendant irréversible sur ses proches moins richement dotés. Il est en effet impossible qu'un New-Yorkais soit autre chose que « super cool ». Le Parisien bien introduit ne manquera pas de prodiguer à ses amis français force conseils sur les quartiers et bars à visiter à New York. Il emploiera

généralement l'expression « *un peu underground* » avec un petit sourire satisfait.
Lorsqu'il parle de New York, le Parisien choisira encore ses mots. Son préféré sera de loin le mot « énergie », qu'il emploiera à l'envi. « Jeune », « super » et « esprit » seront également utilisés avec gourmandise. Tous indiquent une indéniable et profonde connaissance des codes sociaux new-yorkais. Car tel est le Parisien : conscient des normes sociales et toujours par-delà le cliché.
Le goût de la jeune génération de Parisiens pour New York n'est pas sans conséquence sur la vie parisienne. Paris se new-yorkise chaque jour davantage. Le cool y supplante l'authentique, la valeur du nouveau dépasse celle de l'ancien, le museau vinaigrette fait place à la salade Caesar.
Paris, doucement, se provincialise.

CONSEIL UTILE :

Ne dites jamais que vous préférez Paris à New York : vous passeriez pour un vieux et un rabat-joie.

PARLEZ PARISIEN :

« New York, c'est vraiment super,
y a une énergie… »

Les expos

Les expos font partie de la vie parisienne. Elles sont nombreuses et constantes. Art moderne, photographie, rétrospectives… la liste est longue.
La majorité des Parisiens est au courant des grandes « expos » du moment. Il serait toutefois naïf à ce stade de croire que l'objectif pourrait être d'aller voir telle ou telle exposition ou de se cultiver. Le véritable intérêt d'être au courant des principales expositions du moment est pour le Parisien de faire savoir qu'il est au courant des principales expositions du moment.

Cette connaissance, dès lors qu'elle sera distillée sans en avoir l'air, lui permettra de passer pour délicieusement cultivé. Le Parisien révérant l'homme de culture, c'est donc là un positionnement bien pensé.
Il est important de comprendre que la plus sûre sophistication sociale ne consiste pas à être cultivé mais bien à passer pour tel. Savoir est inutile : sembler savoir suffit amplement. La culture est avant tout un jeu de dupes à Paris.
L'on pourrait penser que se tenir à la page exige beaucoup de travail. Ce n'est pas le cas. Métro et rues sont couverts d'affiches et la grande expo du moment est généralement généreusement relayée dans les médias. En ouvrant simplement les yeux, le Parisien acquiert

donc des munitions pour alimenter ses conversations d'éléments sur les expos « *qu'il faut absolument voir* ». L'effet maximal est atteint lorsque, en plus de l'artiste, le Parisien peut aussi mentionner le lieu de l'exposition : « *Sinon, y a l'expo Munch à la Pinacothèque.* » Telle est la forme la plus aboutie de la culture à Paris.

Il n'est que six catégories de personnes qui vont effectivement voir des expos à Paris : les provinciaux, les étudiants étrangers, les enseignants, les touristes étrangers, les retraités et les femmes d'expats. Aucun autre Parisien n'a vu plus de cinq expos au cours de sa vie.

Pour autant, le Parisien « *voudrait vraiment aller* » à la grande expo du moment. Généralement car il a « *entendu que c'était super* », malheureusement, il n'a « *vraiment pas le temps en ce moment* ». Au cas où, il demandera quand même : « *Ça finit quand ?* »

À mesure qu'il découvrira la réalité de la vie culturelle parisienne, l'observateur extérieur pourra s'interroger : *name dropping* ? Imprudent ! Il s'agit bien là d'« art dropping ». En soufflant dans de petites bulles de savon artistiques, le Parisien donne à la ville une tonalité particulière. Le concept n'est pas encore bien saisi par les observateurs, mais ne nous trompons pas, l'« art dropping » est déjà devenu un art en soi. Ainsi, en négligeant l'art, le Parisien le fait advenir.

CONSEIL UTILE :

Si vous êtes effectivement allés voir une expo, il est poli de ne le dire qu'aux personnes issues de l'une des catégories sus-mentionnées.

PARLEZ PARISIEN :

« Il y a une super expo Avedon en ce moment au Jeu de Paume.»

LE MOELLEUX AU CHOCOLAT

Le Parisien est coupable par essence. La culpabilité est son compagnon de route le plus fidèle. Une vieille amie qu'il aime à nourrir, de façon inconsciente ou parfois perverse, non de plaisirs sexués mais bien chocolatés. L'outil magistral de cette valse qu'il aime danser avec elle est le moelleux au chocolat. Le moelleux au chocolat est pur plaisir : un ouragan de chocolat, de beurre et de péché.

Ce dessert obscur est devenu une obsession parisienne, une vaste décharge des frustrations accumulées, un trou profond dans lequel il faut sauter, les yeux fermés.

Le moelleux est sucré, chaud et coulant. Il est un orgasme qui couronne les dîners parisiens.

Le Parisien se sent toujours un rien gêné lorsqu'il choisit le moelleux ; il s'empresse ainsi de ponctuer sa commande d'un « *La vie est courte* » ou d'un « *Allez hop, un p'tit plaisir* ». Des mots que l'homme parisien aimerait pour sûr entendre plus fréquemment.

Le jardin d'Éden avait sa pomme. Paris a son moelleux. Les plaisirs interdits se partageant, le serveur parisien apportera généralement autant de cuillers que de convives. Fulgurance de compassion, une légende de froideur qui se brise sous le poids de la culpabilité de celui qui, face à lui, sombre dans le moelleux. Il a besoin d'aide. Il a besoin d'une cuiller supplémentaire. Le cuistot s'y met à son tour, agrémentant le moelleux d'une boule de glace vanille. Les candides y verront le triomphe du contraste : chaud et froid, noir et blanc célébrant de concert l'insolence fraternelle des textures envoûtantes. Mais il n'en est rien. La glace vanille n'est qu'un soulagement. Une façon de soutenir un homme dans l'épreuve.

Le moelleux au chocolat est un indicateur émotionnel très précis. Le Parisien se devra d'être délicat et attentionné devant un ami mangeant un moelleux. Il ne s'adonne pas à ce plaisir par envie, mais bien par nécessité. Le moelleux est la version française et calorique du *hug* américain. L'homme qui souffre a besoin de laisser son corps aller un instant. Le moelleux toutefois, en ce qu'il nourrit la culpabilité, ne fera qu'augmenter la douleur. Il convient donc d'être gentil avant, pendant et après l'ingestion du moelleux.

La femme parisienne consomme le moelleux avec la même gourmandise torturée qu'elle met à ne pas consommer les hommes. Le Parisien observateur pourra ainsi facilement anticiper l'issue d'un rendez-vous galant. Si la Parisienne choisit le moelleux, c'est à chaque coup de cuiller le glas de la frustration sexuelle qui viendra le glacer. La Parisienne ne peut nourrir sa culpabilité deux fois dans la même soirée. Si elle est au régime constamment, il n'y a pas de raison qu'il en soit autrement pour sa culpabilité.
Il est ainsi tristement avéré que depuis que les restaurants parisiens ont mis le moelleux au chocolat à leur carte, l'activité sexuelle des Parisiens s'est effondrée.

CONSEIL UTILE :

Un restaurant qui ne compte pas
à sa carte de moelleux sera soit *has been*,
soit avant-gardiste.

PARLEZ PARISIEN :

« On se prend un p'tit moelleux ?! »

Dans l'imagerie populaire française, le beauf boit de la bière, porte un marcel et regarde le foot. À Paris, la définition du beauf est sensiblement plus large.

Ainsi, pour le Parisien, toute personne qu'il ne connaît pas est un beauf. Être de raffinement, il ne manquera pas de remarquer toutefois deux sous-catégories bien distinctes : les beaufs et les gros beaufs.
Le gros beauf est à l'évidence un beauf. Il est de ces beaufs que les provinciaux qualifieraient aussi de beauf. Vu toutefois des hauteurs parisiennes, il semble normal d'adjoindre le qualificatif « gros » et le monceau de laideurs qu'il traîne. Le gros beauf a depuis longtemps franchi les bornes de l'acceptable.
D'aucuns pourraient penser qu'être un beauf vaut mieux qu'être un gros beauf. C'est une erreur. Tandis que le gros beauf est étranger au concept de beauf, le beauf ne l'est pas : mieux, il croit généralement ne

pas en être un. Le gros beauf peut être divertissant pour le Parisien, comme le bouffon l'était pour le roi. Le beauf, en revanche, sera considéré avec un mépris froid. Principalement, et c'est la raison bien suffisante, car une de ses caractéristiques visibles ne cadre pas avec l'idée parisienne du bon goût. Il est des choses que le Parisien ne peut laisser passer.

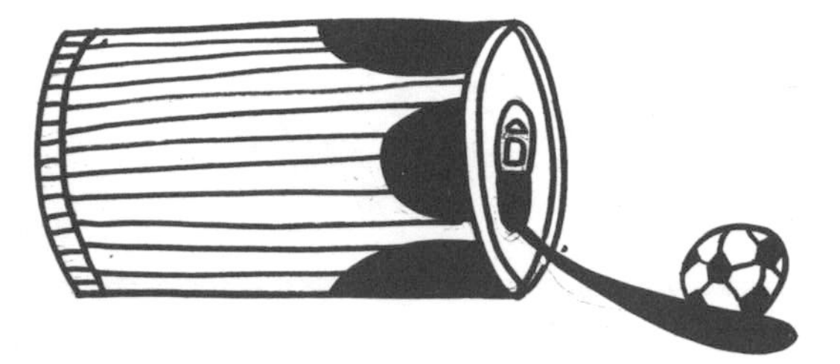

Traiter les gens de beaufs est une aubaine pour le Parisien. Elle le dispense de la pénibilité d'une analyse qui pourrait l'amener à s'interroger sur lui-même ou sur les autres. Le verdict du beauf est immédiat. Certains beaufs, il est vrai, ne font pas d'efforts et les pointer du doigt n'apportera que peu de satisfaction et de crédit social au Parisien : « *Putain, les chaussettes blanches... Quel beauf !* » Trop facile.

Une forme de progression sociale s'obtient en moquant les habitudes caractéristiques des classes sociales supérieures – ou, mieux encore – aisées : « *Il passe le week-end à Deauville ? Quel beauf !* » , « *Non, vraiment ? Il conduit un Hummer ? Oh, le gros beauf !* » En saisissant son public d'un « beauf » aussi cinglant qu'inattendu, le Parisien marque des points à l'impact durable : « *Sérieusement ? Il a emmené son neveu à Disneyland ? Quel beauf !* » Le but de cette manœuvre perfide est d'éveiller

la sourde menace du doute : « *Merde, moi je trouve ça sympa, ça veut dire que je suis un beauf ?!* »
La sagesse parisienne enseigne que l'on est toujours le beauf de quelqu'un. Le Parisien ne saurait toutefois accepter sur lui le spectre de la beaufitude. Si, par mégarde, une parole, un vêtement, une attitude lui vaut d'être traité de beauf par un de ses comparses, il rétorquera par le dédain. Il évoquera alors l'autodérision ou au contraire la branchitude et, par ce recadrage bien senti, se lavera de l'affront pour le reverser avec adresse sur l'offenseur initial.
L'un des délices de la vie parisienne réside dans les multiples déclinaisons du terme beauf, dont la portée dépasse le seul genre humain : destinations, activités, vêtements, musiques, livres, décorations… L'empire de la beaufitude ne connaît plus de limites : douce évolution qui permet au Parisien de se sentir bien en toute situation.

CONSEIL UTILE :

Amusez vos amis parisiens à une soirée déguisée en optant pour un costume de beauf.

PARLEZ PARISIEN :

« C'est vraiment des gros beaufs, ces Américains… »

LES ORGUES DE BARBARIE

Les Parisiens ont tous grandi dans des appartements qui n'offrent que peu de recoins et de divertissements pour un enfant. Pas de jardin. Pas donc d'observation quotidienne des phénomènes fascinants proposés par mère Nature. Seule existe pour l'enfant parisien l'observation occasionnelle des phénomènes fascinants proposés par mère Paris. Tel est l'orgue de Barbarie. Chaque Parisien peut se remémorer ce moment où, enfant, le son cadencé et guilleret de l'orgue de Barbarie atteignait son oreille. De la musique ? Dans la rue ? L'excitation remplit son petit cœur parisien. Il court à la fenêtre. À mesure que la musique s'approche, il en aperçoit la source par-dessus la rambarde. Un orgue de Barbarie. Qui roule. Petit Parisien se tourne vers sa maman. Qui gentiment lui donne une pièce. Quand le monsieur avec son orgue s'approche, petit Parisien peut jeter la pièce. Elle vient frapper le gris du trottoir. Il n'est pas de remerciement plus authentique et plus joyeux. L'orgue de Barbarie ne passe que très rarement dans la rue du petit Parisien. L'événement n'en est que plus précieux. Ce cadeau musical est un délice.

Devenu adulte, petit Parisien aura enfoui bien profondément ces souvenirs. Le Parisien n'est plus un enfant; pourtant, chaque fois que dans une rue se

met à résonner le son de l'orgue de Barbarie, il ne peut s'empêcher d'être touché. Charmé. Doucement entraîné vers de doux souvenirs. Séduit par ces notes familières. Il ne s'arrêtera pas, bien sûr, pour regarder un instant le spectacle désuet qui met en scène sous ses yeux le temps qui a couru. Être touché est une chose. Le montrer en est une autre. Vision hypnotique du temps qui passe. Le Parisien goûte peu le spectacle du temps qui passe. Il va donc son chemin.
Il est loin, le temps des pièces.

Conseil utile :

Impressionnez vos amis parisiens
en sachant que tout comme amour ou délice,
le nom commun orgue est masculin au singulier
et féminin au pluriel.

Parlez parisien

devant un orgue de Barbarie :

« … »

La San Pé

De tout temps, les Parisiens ont su se faire plaisir. Aujourd'hui n'est en rien différent. Les Parisiens se font plaisir.
Ils boivent de l'eau gazeuse.

Lorsqu'il commande son eau gazeuse, le Parisien sent le frisson de l'excitation parcourir son corps, et, sur sa langue, le goût de la rébellion. Sa frivole provocation apporte de la folie au monde.
Le monde des eaux gazeuses à Paris est versatile. Les années 1980 furent pionnières et Perrier régnait sans partage. Les années 1990 couronnèrent Badoit. Tout cela n'était que les prémices de l'irrémédiable ascension de la reine des eaux gazeuses : la San Pé.

Au fond, le Parisien est tendre, aimant. Il n'appellera pas son eau préférée « San Pellegrino ». Dénomination philistine, (italienne) et inattentive. À Paris, « San Pellegrino » est devenue « San Pé », la version liquide d'un meilleur ami. Au restaurant, l'homme parisien apprécie particulièrement de passer des commandes sans appel : « *Deux onglets saignants et une San Pé.* » La San Pé, laconique et frétillante, lui sied en tout point.

Le Parisien ne peut résister à l'appel de la bulle précise de la San Pé. Vaguement rétro, vaguement nouvelle et vaguement saine, la San Pé remplit à merveille l'aspiration du Parisien pour une authenticité douce et caressante. Certes, la San Pé étanche la soif du Parisien, elle chatouille sa langue et enchante son environnement. Mais elle fait bien plus que cela, et lui permet à moindre coût de regagner quelques points de différenciation sociale, flattant au passage deux attributs que le Parisien aime à cajoler : son palais et son égo.

En privilégiant la San Pé à la carafe d'eau, il est ainsi perçu par les autres Parisiens comme un gagneur. Trois raisons à cela : il a du goût, de l'argent et le sens du plaisir.
Ainsi, il est entendu à Paris que ne pas commander de San Pé lors d'un repas d'affaires revient à faire l'aveu de son état de looser. À éviter.
Santé !

CONSEIL UTILE :

Savoir que San Pellegrino appartient
à Nestlé vous permettra de briller en société.

PARLEZ PARISIEN :

« Un crudités-poulet et une San Pé. »

L'ACCENT DU SUD

Pour le Parisien, le sud de la France est monolithique. C'est « le Sud ».
Si Toulousains, Niçois ou Montpelliérains viennent de trois régions bien distinctes, pour le Parisien, ils sont simplement « du Sud ». Ils ont donc, et c'est normal, l'accent du Sud.
Tous les Parisiens sans exception aiment cet accent du Sud qui apprête le français d'un parfum joyeux ; à l'inverse des accents alsacien, breton, ou suisse dont le Parisien aimera se moquer. Toute personne parlant avec l'accent du Sud marquera immédiatement des points précieux sur l'échelle de la cordialité, car, comme aime à le rappeler le Parisien : « *Les gens du Sud sont hyper sympas.* »
Entendre l'accent du Sud transporte le Parisien en vacances. Il saura donc être reconnaissant et poussera jusqu'à essayer d'être cordial en retour. La mayonnaise prend rarement et le Sudiste laissera en général le Parisien à ses tentatives bancales de cordialité. Il est difficile pour lui de se faire l'ami des gens du Sud. Vraiment.
Rapidement, l'accent charmant devient une barrière sociale que le Parisien semble incapable de dépasser, ce qui l'affecte profondément, étant généralement un artisan hors pair de la construction et du décryptage

des barrières sociales. C'est pour lui un art tout autant qu'un hobby. Savoir qu'une personne avec l'accent du Sud sera toujours perçue comme plus sympathique que lui est chose fort frustrante. Les représailles ne se font pas attendre.

L'accent du Sud doit donc être moqué. Le Parisien utilisera ainsi systématiquement l'accent du Sud pour imiter un benêt ou un idiot. Lorsqu'un jour le Parisien se fait morigéner par la police, il ne manquera pas, en racontant l'histoire à ses amis, de retranscrire les interventions du pandore avec son plus bel accent du Sud. Comprendre ici que le flic était un abruti. Prends ça, Sudiste !

La stratégie qui consiste à travestir une personne sympathique en personne stupide sur la foi de sa façon de parler est absolument exquise pour le Parisien. Plus encore qu'un enchantement des oreilles, l'accent du Sud est un délice de l'ego. « *Chérie, et si on se faisait un p'tit week-end dans le Sud… ?* »

Conseil utile :

Lorsque le Parisien met un g à la fin d'un mot (loing, cong), c'est qu'il essaie d'imiter l'accent du Sud.

Parlez parisien :

« Oh, t'as l'accent du Sud… c'est génial ! »

Le Parisien a pour préoccupation récurrente de ne pas faire montre de sa supériorité de façon trop brutale. Il sait qu'il vaut mieux que les autres. Pour autant, il ne souhaite pas les écraser de sa supériorité.
Aussi recherche-t-il incessamment des subterfuges pour diminuer l'amplitude de son image aux yeux d'autrui. Saupoudrer en somme sa perfection de quelques soupçons de médiocrité. Les exemples de cette façon d'être sont nombreux, mais l'un des plus criants est l'usage du verlan.
Langage des faubourgs, le verlan a permis un temps aux jeunes de ne pas être compris par l'autre, fût-il policier ou riche. La formation d'un mot en verlan répond à des règles simples. Prenez le mot en français (voiture) et inversez les syllabes (turevoi). Si le mot qui en résulte a le mauvais goût d'être ponctué par une voyelle, faites-en l'ellision (photo -> topho -> toph).

Cette dernière manipulation semble toutefois se refuser à la sagacité du Parisien.

Penser qu'à ses yeux la population de banlieue est monolithique serait une simplification coupable. À la vérité, elle est double : d'une part les banlieusards – blancs et de classe moyenne –, de l'autre les mecs de banlieue – noirs ou arabes et généralement de classe laborieuse. Le Parisien ne tentera donc jamais d'imiter le banlieusard. À l'inverse, il s'appliquera à reproduire quelques-unes des manières des mecs de banlieue. À commencer par le verlan.

Certains mots de verlan sont aujourd'hui très communément usités par le Parisien de moins de quarante ans. Leur familiarité lui a fait perdre de vue leur nature verlanisée. Ainsi, les termes *teuf* (fête), *keuf* (flic), *vénère* (énervé), *ouf* (fou), *pécho* (choper) ne sonnent plus verlan à l'oreille du Parisien. Les parures d'homme de la rue qu'ils lui permettaient d'arborer il y a quinze ans ont pris aujourd'hui de la patine. De populo, le Parisien est ainsi devenu verlaphone. Ce supplément d'âme, précieux sésame aux parfums de ghetto, a une condition : la maîtrise du verlan.

Une fois acquise, il conviendra toutefois d'en faire bon usage. À Paris, le verlan devra toujours être utilisé avec parcimonie. Il ne sera apprécié que comme une charmante fantaisie dans un cadre qu'il conviendra sinon de pressentir comme confortablement bourgeois. Le verlan ne sera gratifiant socialement que si la personne qui l'emploie peut en outre tenir une conversation intelligente dans un français correct, avec une élocution claire et vêtu convenablement. Si elle remplit toutes ces conditions, la personne qui maîtrise le verlan sera secrètement révérée par les autres

Parisiens qui admireront sa capacité à se fondre avec succès dans tout milieu, à naviguer avec facilité parmi le dédale des raffinements sociaux, et ce en dépit d'origines suspectes. Le Parisien rêve en secret d'avoir un ami du ghetto.

Dans une sorte de mouvement mimétique presque touchant, le Parisien feint souvent un côté ghetto, irrépressible mais toujours discret. Le ghetto, il le sait, ouvre des portes. Plus les mots de verlan utilisés seront rares, plus profonde semblera l'extraction sociale. *Reup* (père) vaudra 1 point sur l'échelle du ghetto, *oit* (toi) 2, *as* (ça) 3, *screud* (discret) 4, etc. Il est important d'utiliser ces mots sans avoir l'air d'y toucher. Les mésemplois, tout comme les emplois de termes de verlan datés (port nawak, laisse béton…) trahiront immédiatement l'origine trop bourgeoise.

Le Parisien ne peut être trompé. Il n'est pas teubé.

CONSEIL UTILE :

Le verlan pour les femmes n'est pas chose heureuse.

PARLEZ PARISIEN :

« Putain, j'suis trop vénère,
il est grave teubé ce mec. »

LE MONDE

Le Parisien se méfie des médias. Même s'il n'en a pas conscience, il a développé à leur encontre une addiction irrépressible. Le Parisien ne fait pas vraiment confiance aux médias. Il existe une seule exception à cette règle : *Le Monde*. *Le Monde* est pour le Parisien la seule source d'information fiable sur la planète.

Aucun autre pays au monde n'est en mesure d'atteindre le niveau d'indépendance d'esprit et de rigueur dans l'analyse que la presse française propose à ses lecteurs. À l'étranger, le Parisien sait qu'il n'existe que quatre canaux d'information : CNN, Al Jazeera, Fox News et les tabloïds anglais. Aucun n'est digne de confiance. Malheureusement, à l'étranger, les gens doivent se contenter de cela. Le Parisien tire une certaine satisfaction à penser que la France est le seul pays au monde avec de vrais journaux, même s'il n'ignore pas que peu d'entre eux valent la peine. « Libération, *c'est hyper à gauche* » ; « Le Figaro, *c'est hyper à droite droite* » ; « L'Équipe, *ça va, j'suis pas un beauf non plus* ». Le Parisien veut que la presse qu'il lit soit affranchie des opinions partisanes. Il la veut neutre.
Rares sont les Parisiens qui lisent *Le Monde*. Pourtant

ils sont tous d'accord pour affirmer que « Le Monde, *c'est un bon journal* », « *un journal sérieux* » aussi. Le Parisien a ce talent : avoir une opinion sur ce qu'il ne connaît pas. C'est une chance.
Les Parisiens qui lisent *Le Monde* sont rapidement estampillés « intellos ». Dans certains cercles, cette désignation vaut ennoblissement. Certains Parisiens, prompts à découvrir les oripeaux de la belle noblesse, achètent *Le Monde*, le plient et se promènent négligemment avec. Ils promènent leur *Monde*, comme d'autres leur caniche. En pareille situation, le Parisien ne manquera pas de lâcher d'un air dépité : « *C'est chiant, j'ai jamais le temps de le lire.* » Il est à noter que les personnes qui lisent le moins *Le Monde* sont celles qui y sont abonnées. Le projet est alors de ne jamais le lire mais de planter – banderille magnifique – à chaque nouvelle rencontre : « *J'suis abonné au* Monde… »
Étincelante crucifixion.

CONSEIL UTILE :

Vous souhaitez être pris
pour un Parisien ? Rien de plus simple.
Achetez *Le Monde*, pliez-le, marchez. Puis arrêtez-vous à un café et téléphonez avec votre portable.

PARLEZ PARISIEN :

« Moi, de toute façon, je lis qu'*Le Monde*,
les autres journaux, honnêtement, j'peux pas. »

Le Parisien ne se rase pas quotidiennement ; il porte la barbe de trois jours.

Une belle barbe de trois jours propulse au sommet du sexy. Savant mélange d'Indiana Jones au Cambodge et de George Clooney un dimanche après-midi, l'homme mal rasé devient irrésistible. Et il aime ça.
La Parisienne aime son homme mal rasé. Elle se sent femme face à cette expression rugueuse de l'aventure qui enfin s'empare de sa moitié. Sa part d'animalité, ce qu'il lui reste d'homme véritable. La barbe de trois jours est la juste dose d'aventure pour le Parisien : civilisée, sur mesure, contrôlable. Un aperçu de l'aventure sans son odeur incommodante ; la vie en potentiel suffit largement.
La barbe de trois jours est une manière d'affirmation sociale. Celui qui l'arbore n'est ni un pion ni un esclave de l'entreprise. Elle est donc liberté. Plus il la portera dans un lieu ou en compagnie d'élégants, plus il paraîtra puissant et confiant. La limite d'un rasage en dilettante est repoussée chaque jour un peu plus loin.

Même s'il l'adore, il est important pour le Parisien d'annoncer à la ronde qu'il faut qu'il se rase. À Paris, le rasage est une forme d'oppression sociale autant qu'il est nécessité. Sauf à vouloir affirmer sa liberté et son statut, le Parisien se rasera avant d'aller voir ses parents. Les mères parisiennes n'aiment pas ces barbes qui donnent à leurs fils une allure négligée.
Les experts en la matière préféreront la tondeuse au rasoir. Une utilisation régulière permet de conserver une barbe de trois jours permanente. Avec un indéniable talent esthétique, le Parisien fait advenir l'impossible : il suspend le temps et trois jours deviennent l'éternité.
Sa journée n'a pas encore commencé.
Il est normal qu'il fasse des envieux.

CONSEIL UTILE :

Une barbe de trois jours portée avec
des vêtements élégants est la clef du succès à Paris.

PARLEZ PARISIEN :

« Ouais, faut qu'j'me rase… »

CONDUIRE BOURRÉ

Le Parisien est au-dessus des autres. Il est aussi au-dessus de la loi.
Il l'enfreint par conséquent généreusement chaque jour. En effet, souvent, la loi est idiote et elle est incommode.
Le Parisien croit qu'en matière de respect de la loi, l'important est que la grande majorité s'y conforme. À l'évidence, il ne s'inclut que rarement dans cette « grande majorité ». Cela lui permet de choisir de façon avantageuse les règles qu'il acceptera de suivre. L'une des plus ennuyeuses demeure l'interdiction de conduire après avoir consommé de l'alcool : il décide donc le plus souvent de l'ignorer. Pour la simple raison que lorsque vient le moment de conduire, le Parisien n'est jamais saoul. « *Non, ça va, j'peux conduire, aucun problème… Non, vraiment, c'est bon !* »
Les excuses sont nombreuses et toutes excellentes : les taxis sont chers et impossibles à trouver la nuit, le métro s'arrête trop tôt, le Noctilien est glauque et marcher fatigant… Aucune raison de ne pas conduire bourré, d'autant qu'il est de notoriété publique qu'à Paris, ça n'est de toute façon pas réellement dangereux. L'on y roule doucement et les feux rouges sont légion. Il n'y a donc aucun risque. D'autant moins que le Parisien sait où les policiers effectuent leurs contrôles. Une fois ce niveau de connaissance acquis, la règle

qui impose de conduire sobre devient en effet tout à fait idiote et franchement incommode. Il est donc normal de passer outre.
Après une soirée joyeuse, certains n'ont toutefois pas l'audace de rentrer chez eux en voiture ou en scooter. Ce sont là les Parisiens sages. Ils choisissent alors de rentrer à vélo. Le leur ou, plus pratique encore, un Vélib. Rentrer saoul en vélo est nettement moins risqué. Le Parisien est malin.
Les légendes urbaines à propos d'« amis d'amis » s'étant vu retirer leur permis de conduire en rentrant saouls à vélo abondent. Mais le Parisien ne croit pas aux légendes urbaines. Il boira donc un coup à leur santé !

CONSEIL UTILE :

Face à la pénurie de taxis, évitez les heures de pointe nocturnes que sont 22 h 30 et 2 heures.

PARLEZ PARISIEN :

« J'suis nickel, sérieux… »

Il convient à Paris de regarder les films étrangers en VO. Seuls les beaufs optent pour la VF.
Regarder un film en VO permet ainsi d'exprimer distinctement son impeccable maîtrise de l'anglais. Qu'elle soit réelle ou fantasmée importe peu. Préférer la VO a valeur de bilinguisme social.
Au-delà de son talent pour les langues, fruit mûr tombé de l'arbre de ses voyages, le Parisien est aussi homme de culture. Il ne saurait tolérer que le travail d'un acteur soit masqué par un quelconque doublage. Le Parisien veut être au plus près de l'œuvre. Ce point n'est toutefois pas valable pour les films asiatiques.
Il n'est pas de meilleure recette pour gonfler la confiance du Parisien que de lui proposer de voir un film en VF. Il refusera catégoriquement et s'expliquera d'un : « *Je ne supporte pas.* » Les mers profondes de l'ignorance et du dédain s'ouvrent sous les pieds de son interlocuteur, qui en sort vaguement humilié mais fort d'une amitié renforcée.

L'amour du Parisien pour la VO dépasse désormais le cadre des salles obscures. Il est aussi devenu inacceptable à Paris de passer un agréable moment à regarder une série américaine en VF. Quelques précurseurs avaient initié le mouvement il y a plus de dix ans avec l'arrivée en France de *Friends* : « *Je supporte pas la voix de Ross en français.* » L'habitude a maintenant gagné le Parisien de moins de quarante ans, pour qui regarder une série à la télévision est devenu chose impensable. Il doit se procurer le DVD. C'est là une obligation.

L'exigence intellectuelle a un prix.
The Parisian is ready to pay for it.

CONSEIL UTILE :

Intégrez-vous à Paris en utilisant de préférence le titre américain d'un film. Le titre français, le Parisien le comprendra, vous échappe.

PARLEZ PARISIEN :

« Tu sais, mais maintenant, je suis obligé de regarder les films en VO : la VF, j'y arrive plus. »

LES BELGES

Les Parisiens sont tous des anthropologues de haut vol. Ils connaissent sur le bout des doigts les autres peuples et les autres pays. Comme seuls les experts savent le faire, ils parviennent à synthétiser leur savoir sur les gens d'ailleurs en un seul adjectif, définitif et inattaquable.
Ainsi, les Américains sont cons, les Portugais poilus, les Vietnamiens chinois et les Belges sympas. « *Ils sont sympas, les Belges !* » Pour remonter le moral du Parisien, rien ne vaut l'évocation du mot « belge ». Immédiatement, une effusion de pensées joyeuses et souriantes l'envahit.
Le Parisien est alors transporté dans un monde d'accents, de moules-frites et de gens qui rient. Selon toute vraisemblance, le Parisien se fendra à ce stade d'une petite phrase idiote dite avec un accent belge de mauvaise facture. Il ponctuera sa phrase d'un « *une fois* ». « *Mah tu n'es pas un peu con, une fois...* » Apothéose parisienne.
Le Parisien ne fait jamais de blague belge. Trop risqué pour son image. Mais il aime les Belges d'autant plus qu'il peut les considérer à travers le petit matelas de supériorité que des décennies d'histoires belges ont établi précisément à la frontière entre la France et la Belgique.

Si le Parisien méprise celui qui boit, cette perception est toutefois amendée dans le cas des Belges : « *Tu veux une bière, une fois ?* » Leur penchant pour la boisson (qui ne saurait faire question) est, sinon touchant, au moins typique et, au bout du compte, assez amusant. Le fait qu'un Belge puisse ne pas être joyeux, voire pire : triste, n'est pas une idée que le Parisien est prêt à accepter. Les Belges sont joyeux, généralement saouls, et parlent avec un accent amusant. Point.

Le Parisien adore passer du temps avec des Belges, mais doit savoir garder mesure. En effet, côtoyer des Belges expose le Parisien au risque de gagner en légèreté d'esprit. Risque social majeur qu'il ne saurait prendre.

Deux éléments ternissent quelque peu cette relation sans nuages : le premier – la moitié des Belges sont hollandais (et « *Les Hollandais, ils sont chiants* ») – et le second – cette habitude qu'ont les Belges d'utiliser savoir à la place de pouvoir : « *Tu saurais me passer le sel, s'il te plaît ?* » D'autres belgicismes amusent le Parisien. Celui-ci le hérisse. D'autant plus que le Belge semble refuser de se corriger, même lorsqu'un Parisien lui fait remarquer sa faute. Les Belges seraient-ils

irrespectueux ? Le Parisien préfère les voir comme des enfants – « de grands enfants » (irrespectueux étant une façon d'être entièrement étrangère au Parisien).
Avec les Belges, le Parisien aime aborder le sujet de la politique. Le Parisien ne connaît absolument rien de la politique en Belgique, mis à part que le pays est au bord de la partition. Le Parisien sait cela. En la matière, la seule question qui intéresse le Parisien étant : Quand la Belgique deviendra-t-elle française ?
Le Belge évoquera alors la Bretagne ou la Corse. Le Parisien se renfrognera et ripostera en parlant des scandales pédophiles ou de Johnny Hallyday.
En quelques secondes, le Parisien, avec les meilleures intentions du monde, réussit à ce qu'une relation sans nuages dégénère en un combat de coqs. Si seulement le Parisien s'en était tenu à sa maxime initiale « Divertis-moi, Belge », rien de tout cela ne serait arrivé. Vraiment, bonnes intentions et Parisiens ne font pas bon ménage. Une fois.

CONSEIL UTILE :

Lisez les BD *Le Chat*, de Philippe Geluck – belge, drôle, gentil et talentueux.

PARLEZ PARISIEN :

« On a rencontré des Belges en vacances, hyper sympas… tu vois, elle, bon humour, sympa, lui, gros déconneur, très sympa aussi. Par contre, qu'est-ce qu'ils picolent ! »

LES P'TITS WEEK-ENDS

Au bout d'un temps, le Parisien finit toujours par se lasser de Paris. Besoin d'air. Régulièrement, donc, il quitte la ville pour quelques jours. Ces petites escapades portent un nom : les « p'tits week-ends ».
Le week-end est constitué du samedi et du dimanche. Il se déroule à Paris. Le p'tit week-end inclut à coup sûr ces deux jours, auxquels auront été adjoints, le cas échéant et pour faire bonne mesure, un ou deux jours en « di ». Il se déroule nécessairement en dehors de Paris.
La destination et la fréquence des p'tits week-ends varient selon le Parisien.
Dans son esprit toutefois, le p'tit week-end n'est en rien un luxe. C'est pour lui une nécessité, « une question d'équilibre ». Le p'tit week-end est une porte pour fuir un temps l'oppression de la ville trop grande et trop bruyante. Cette ville où il semble se perdre : *« J'en peux plus, faut que je parte m'aérer, tu veux pas qu'on se fasse un p'tit week-end quelque part ? »*

Le p'tit week-end peut avoir pour théâtre la maison de campagne du Parisien en Normandie, en Bretagne, en Bourgogne ou dans le Sud. Étant exclusivement affaire de cool et de bien-être, il conviendra toutefois d'éviter les créneaux où des membres de la famille occupent déjà ladite maison : « *Mes parents sont j'sais pas où chez une cousine de ma mère, on peut se faire un p'tit week-end chez moi en Sologne si tu veux.* »

Par-delà le bien-être éphémère, le p'tit week-end présente deux avantages précieux : à chaud, il se raconte ; puis, plus tard, il s'évoque. Tel est le dessein secret que le Parisien lui assigne. Pour lui, le p'tit week-end est fanfaronnade discrète. Il est luxe désinvolte, dépaysement acidulé. Le Parisien étant un être de sagesse, il cherchera souvent dans d'autres capitales européennes son dépaysement acidulé.

De fait, il existe une hiérarchie tacite des capitales européennes. Cette hiérarchie fondée sur le cool couronne Barcelone, Berlin et Londres. Ces escapades pourront être racontées, évoquées, reprises des mois durant, sans jamais cesser d'asseoir la supériorité du Parisien sur ses interlocuteurs.

Pour un p'tit week-end en amoureux (déclinaison romantique du p'tit week-end), le classement met à l'honneur Prague, Vienne et Budapest. Pour le Parisien, les capitales d'Europe centrale ou de l'Est sont de loin les meilleures destinations pour un p'tit week-end entre potes (*on-se-casse-on-fait-deux-soirées-à-tout-péter-et-on-revient-on-s'en-fout-ça-coûte-rien-putain-allez-merde-bordel-on-vit-qu'une-fois-putain*). Les capitales d'Europe centrale ou de l'Est inquiètent les Parisiennes.

Un p'tit week-end hors d'Europe ou au ski est également envisageable. La stigmatisation pécuniaire conduira toutefois à n'en faire mention que dans les cercles appropriés.

Lorsqu'on lui demande comment était son p'tit week-end, le Parisien ne semble pourvu que de deux adjectifs : super et excellent. Beau joueur, le Parisien reconnaîtra parfois que c'était aussi crevant. Quel que soit l'adjectif choisi, il sera ravi de dire à qui veut l'entendre que « *ça m'a trop fait du bien de partir un peu* ».
Le bien-être et le cool créant une certaine dépendance, le Parisien préférera en contrôler l'absorption. Il ne s'en autorisera que de courtes injections. De-ci, de-là, par vagues de deux, trois jours.

Conseil utile :

Si vous souhaitez voir vos amis parisiens
aux mois d'avril, mai ou juin, prévenez-les
tôt. Pleine saison des p'tits week-ends.

Parlez parisien :

« Non, mais sérieux, Budapest, avec easyJet,
ça coûte vraiment que dalle…
tu devrais trop le faire. »

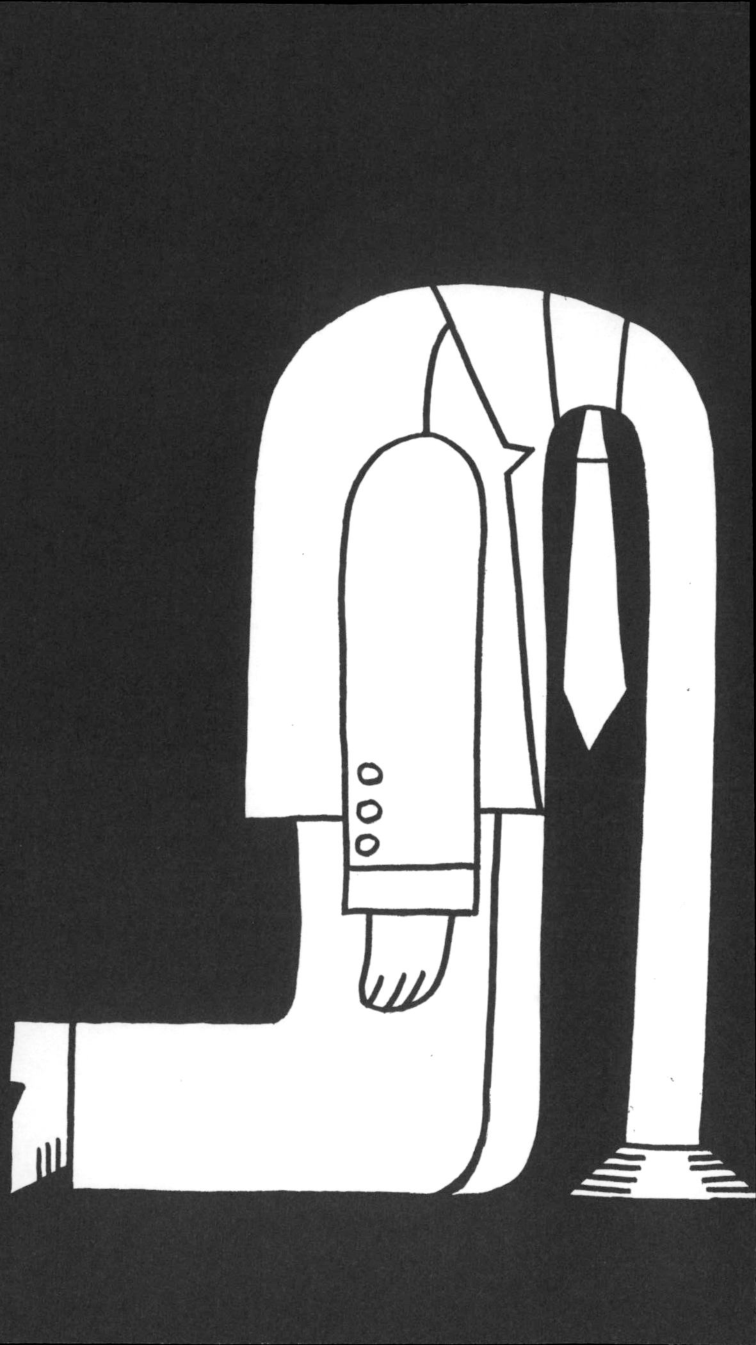

D'aucuns pensent que le Parisien vit dans Paris. Faux. Il vit dans le doute.

Le Parisien doute. Principalement, il est vrai, des bonnes choses. Les mauvaises sont rarement mises en question, le Parisien sachant trop bien qu'elles font partie de la vie.
Le doute est l'élément le plus structurant de la pensée parisienne.
Le doute est questionnement du donné : un éclairage nouveau, nourri de la lumière discrète mais tenace de l'expérience. Il est autant mise en question que mise en perspective. Douter requiert cette intelligence qui fait la distance. Douter, c'est être intelligent. C'est là le premier triomphe de l'homme qui doute.
Si le fondement du doute est triomphe, sa conséquence l'est tout autant. Il préserve le Parisien de l'enthousiasme nigaud, et de son attelage bruyant d'énergies

positives. Ainsi le Parisien se méfie-t-il systématiquement des bonnes nouvelles. Il questionne l'origine, la réalité et la résultante de tout fait nouveau. Cette veille analytique constante lui permet d'éviter les plongées libidineuses dans l'émotion. Le triomphe peut durer. L'objet du doute n'est toutefois pas anodin. Le Parisien préférera douter de faits ou de situations que des gens. À Paris, douter de quelqu'un semble être le signe d'un manque de confiance en soi. Ce n'est pas recommandé. Le Parisien ne doutera que de trois types de personnes : ses parents, ses amis et la personne qu'il aime. Il a cette sagesse qui consiste à ne douter que de ceux qu'il connaît.

Fort de cette pratique assidue, le Parisien n'attend jamais rien de bon. Si quelque chose de positif arrive dans sa vie, il ressent presque de la frustration : ses doutes n'étaient pas justifiés. Si en revanche ses doutes étaient justifiés, le Parisien ressentira le doux frisson du succès et de l'intelligence. Le mal fait du bien au Parisien.

CONSEIL UTILE :

L'expression la plus fréquente du doute est non verbale. Tout est dans le jeu de lèvres.

PARLEZ PARISIEN :

« Mouais… j'suis pas convaincu.
Ça m'étonnerait quand même ! »

L'HUILE D'OLIVE

Le Parisien est un être de raffinement et de goût. Pas de bol pour le beurre. Par trop gras et rural, il incommode le Parisien.

Heureusement, depuis dix ans, le Parisien a découvert l'huile d'olive. Cette découverte lui a permis de mépriser généreusement le beurre. Douce sensation que le mépris. Surtout lorsqu'il est justifié : il est en fait de notoriété publique à Paris que l'huile d'olive est bien meilleure que le beurre. Elle n'est pas grasse, et il n'existe aucune nuisance qui lui soit associée.
Délaisser le beurre pour l'huile d'olive est chose naturelle pour le Parisien. L'huile d'olive correspond à une vision du monde qui lui convient. L'agriculture comme activité commerciale menée par des professionnels dans une région pluvieuse n'est pas une idée plaisante. Trop de souffrance, de labeur et d'odeurs suspectes. Le Parisien préfère à cette vision humide et rustre un

monde plus onirique, nourri de soleil de Provence et du travail d'un « passionné ». L'huile d'olive fait du bien au corps du Parisien, mais aussi à son esprit.
Sur l'autel du glamour gastronomique ensoleillé, un seul condiment peut rivaliser avec elle : le vinaigre balsamique. Il est impossible qu'un plat préparé à l'huile d'olive ou au vinaigre balsamique soit mauvais.
À l'inverse, un plat préparé à base de beurre ou de crème ne pourra être que gras et lourd. Les autres types de vinaigre sont pour les *has-been*. Si beurre il doit y avoir, alors, le Parisien le préférera « salé » ou « demi-sel ». Pourquoi ? « *Parce que c'est dix fois meilleur.* »

Il serait inutile de rappeler au Parisien que la plupart des plats qui les font fondre au restaurant sont préparés avec de généreuses portions de beurre ou de crème. L'enchantement est phénomène rare à Paris. Assez rare pour ne pas chercher à souffler sur la petite bulle qui le préserve.
Fût-elle extra-vierge.

CONSEIL UTILE :

Le gourmet avant-gardiste préférera à l'huile d'olive l'huile de pépin de raisin (de Champagne idéalement).

PARLEZ PARISIEN :

« Tu vois, une petite salade, un filet d'huile d'olive, c'est tout simple, c'est hyper bon. »

Se garer

Chaque Parisien est supérieur aux autres Parisiens. Le critère de mesure de cette supériorité est fort commode : il n'y en a pas. À Paris, la supériorité est un état d'esprit. Et donc un art de vivre.

Reconnaître l'existence des inférieurs est chose rare dans la capitale. De fait, reconnaître l'existence des autres est chose bien inhabituelle. Cette approche unique de la vie sociale se révèle pratique à bien des égards. L'un d'entre eux est indéniablement la politique en matière de parking.

Le Parisien se gare n'importe comment. Et s'en réjouit. Se garer n'importe comment est une triple victoire pour le Parisien. Le message envoyé est clair : le Parisien est supérieur aux autres et à la loi. Il se sent déjà bien. Mais le plaisir le plus gourmand de l'affaire est de voir cette supériorité en action. Je suis supérieur et j'agis de façon supérieure. Ce qui me rend sursupérieur.

En se garant n'importe comment, le Parisien gagne du temps et – cerise sur le gâteau – en fait perdre aux autres. Il exulte pleinement au sortir de sa voiture, laissée au beau milieu de la circulation. À cet instant, il devient le roi de tous les Parisiens. Il claque la portière, jette un coup d'œil alentour et sourit : « *Oui, mes braves, je suis votre seigneur.* »

Si, par mésaventure, il trouve à son retour un PV sur son pare-brise, il pestera qui contre l'État policier (Parisien de gauche), qui contre cette ville qui ne fait que compliquer la vie à ceux qui travaillent (Parisien de droite). Et qui se permet de mettre un PV au roi ? C'est inconvenant.

Pris sur le fait, le Parisien se fera fort d'argumenter avec la maréchaussée : un PV ne s'accepte pas sans discuter. Le Parisien n'est pas coupable. Il est occupé.

CONSEIL UTILE :

Si vous vivez à Paris, gagnez du temps :
préférez le scooter. Qui a le bon goût de toujours
permettre de se garer n'importe comment.

PARLEZ PARISIEN :

« J'y crois pas, cinq minutes en double file
et j'me prends une prune !
C'est pas possible, putain ! »

LES BATEAUX

Le Parisien a quelque part dans la tête l'idée de grandeur, d'infini. Les mots de Baudelaire n'en finissent plus de résonner en lui : « Homme libre, toujours tu chériras la mer. » Son esprit est empli d'un bleu lointain. Au fond de lui-même, le Parisien vogue sur des flots iodés, toutes voiles déployées.

Il n'est pas bien vu à Paris de ne pas aimer la voile. Ne pas nourrir une révérence discrète pour la navigation à la voile indiquerait une âme flétrie, urbanisée en plein. Élégante et poétique, la voile est naturellement parisienne.

Rien n'impressionne davantage le Parisien qu'un homme parti pour un tour du monde à la voile. Telle est la vision parisienne du bonheur. Certains relèveraient que ce bonheur semble inconfortable et humide. Une telle absence de grandeur d'âme vous disqualifierait en tant qu'individu. Critiquer la navigation à la voile n'est permis qu'à une seule catégorie de personnes : les jolies filles ayant déjà fait de la plaisance. Elles sont les seules à qui l'on passera de dire qu'un bateau à voile est lent, exigu, humide et parfois dangereux. Cela confortera le Parisien dans le sentiment plus ou moins conscient qu'il a de sa supériorité intellectuelle et poétique sur la gent féminine, toujours plus matérialiste.

Qu'il navigue sur les mers ou les océans importe peu. L'idée de la navigation excède très largement l'acte. De fait, les jolies Parisiennes n'ont pas tort : le bateau, c'est humide et un peu lent.
Une formidable alternative à la navigation effective est de porter des vêtements marins. Porter des chaussures bateau, un caban ou une vareuse à Paris (un élément à la fois) exprime la prééminence maudite qui fait les âmes poétiques. Il se peut même que parfois,

en regardant l'océan, l'homme dressé dans ces chaussures bateau pleure. En matière d'humanité, il n'est de sommets plus escarpés.
L'idée de la navigation à la voile est si présente à l'esprit du Parisien qu'il ressent le besoin de s'entourer de représentations de sa beauté. Tout Parisien digne de ce nom possèdera un livre de photos avec de jolies photos de mer et de bateaux. Une photo encadrée dans une chambre ou un poster dans des toilettes pourront aussi ravir le visiteur. Les clichés d'océans tonitruants ou de phares imprenables sont aussi pleinement acceptables. Les maquettes de beaux bateaux à voiles ou de vaisseaux d'antan devront être exposées dans sa résidence secondaire.
Si, un jour, un Parisien vous dit qu'il « *fait du bateau* », il sera poli de le présenter à l'avenir comme « *un super marin* ». Même si vous n'êtes pas vous-même un marin, il vous appréciera pour votre discernement. Oui, le Parisien est magnanime.
Naviguer vous rend meilleur.

CONSEIL UTILE :

Ne manquez pas le superbe film *Tabarly*.

PARLEZ PARISIEN :

« J'ai un copain qui a fait une transat…
un mec génial ! »

L'AMÉRIQUE DU SUD

Le Parisien aime l'Amérique du Sud. Il n'existe aucune exception à cette règle.
Amérique du Sud pour le Parisien englobe tout ce qui est au sud des États-Unis. L'Amérique centrale n'a pas été reconnue à Paris. L'existence de plusieurs pays au sein même de l'Amérique du Sud est chose suffisamment déconcertante pour ne pas en rajouter.
Le Parisien sait que l'Amérique du Sud est colorée, authentique et joyeuse. Quelles différences peut-il bien y avoir entre le Guatemala et le Pérou ?
Pendant ses années d'étude, il est fréquent pour le Parisien de faire un voyage en Amérique du Sud, « *à l'aventure* ». Aller en Amérique du Sud sans sac à dos est considéré comme un réel manque de style. Il est en effet souhaitable de pouvoir rentrer et pour le reste de sa vie dire : « *J'ai voyagé en Amérique du Sud avec mon sac à dos.* » Partir à l'aventure pour le Parisien implique de préférer le sac à dos à la valise et d'emporter « *de bonnes chaussures de marche* ». De dormir à l'hôtel aussi.
À son retour d'Amérique du Sud, le Parisien dira qu'il « *s'est fait l'Amérique du Sud* ». Il jugera sans hésitation que « *c'était génial* ». Il aura un mot pour « les couleurs » et « les gens ». Même si, à l'évidence, « *c'était un peu* roots ». À l'évidence.

Beaucoup de Parisiens ont un ami sud-américain. Ceux qui n'en ont pas aimeraient en avoir un. Les amis sud-américains apportent une certaine légèreté d'esprit et un accent réjouissant à la table du Parisien. Le seul point négatif auquel le Parisien peut éventuellement associer l'Amérique du Sud est « la violence ». Tous les Parisiens aiment raconter cette histoire d'une connaissance qui s'est fait détrousser en Amérique du Sud. Cela ne viendra toutefois pas altérer l'amour que le Parisien nourrit pour ce continent de couleurs.

CONSEIL UTILE :

Allez en Argentine.

PARLEZ PARISIEN :

« J'ai trop envie de me faire
un voyage en Amérique du Sud… »

Les origines

La façon la plus sûre d'identifier un étranger est d'écouter. L'étranger est celui qui, dans une conversation sur la France, finira par dire : « *Les Français sont fiers.* » À l'évidence, cette personne n'est pas d'ici : les Français sont, de loin, le peuple qui s'aime le moins au monde. Le commentaire sur la fierté est du même ordre que celui sur la joie de vivre. Ils sont tous deux fort charmants mais ils ont vécu. Le Français n'est plus ni joyeux ni fier. Trois décennies d'idéologie socialisante ont eu raison de ces traits de caractère nationaux : sous les eaux tièdes du socialisme à la française, tandis que les choses dures rouillent et cassent, les plus douces fondent et passent.

Il y a quelques décennies de cela, aimer son pays en France s'appelait du patriotisme et était perçu comme une chose noble. C'est aujourd'hui un penchant suspect, confinant au racisme et certainement pas une chose recommandable socialement.

En France, il ne fait pas bon être français. La France n'est pas suffisamment aimable pour cela. Il est donc important, sur le sujet de ses origines, d'avoir échafaudé un plan B. Les descendant d'immigrés récents sont à ce titre les plus avantagés : ils sont « algériens », « marocains » ou « sénégalais ». Être né, avoir grandi et vécu toute sa vie en France n'est à l'évidence pas suffisant pour avoir à essuyer chaque jour l'infamante dénomination d'être « français ». Pour celui qui n'a pas cet insigne privilège, les choses se compliquent.

Deux solutions s'offrent alors à lui : faire siennes les origines et pratiques cultu(r)elles de ceux que les médias présentent comme « des Français d'origine étrangère ». Cette stratégie prévaut principalement en banlieue.
Dans les environnements plus aisés, il est de bon ton de se targuer d'un ancrage régional fort : « *J'suis parisien. Enfin... ma famille vient d'Auvergne.* » La phrase « J'suis parisien » sera ainsi systématiquement suivie d'un élément de modération, à tendance régionalisante.
Être de là où l'on est n'est pas acceptable, et particulièrement pour le Parisien. Lorsque le reste de la France doit se dépêtrer avec le mépris inconscient que médias et enseignants de gauche ont associé dans son esprit à l'idée de patriotisme, les Parisiens doivent en outre dépasser le mépris tout à fait conscient que l'ensemble de leurs compatriotes nourrit à leur endroit.
Les Français dans leur ensemble s'accordent pour reconnaître que le Parisien est la pire espèce présente sur le territoire national : arrogant, néfaste et inutile.

Pour restaurer sa fréquentabilité, la voie la plus simple semble donc de revendiquer des origines peu pertinentes mais cathartiques. Ces origines imaginaires comportent toujours une part de vérité. La région mise en avant est ainsi soit la région d'origine d'un de ses quatre grands-parents, soit celle où il a passé le plus clair de ses vacances enfant. Le Parisien est donc de Bretagne, du Sud-Ouest, d'Auvergne ou du Sud. Il ne revendique jamais d'être de Normandie, du Nord ou de l'Est. Les chances que ses grands-parents aient tous grandi dans ces régions moins avantageuses socialement sont peu nombreuses et confineraient à une petite malédiction.

Si identifier un étranger à Paris est donc facile, reconnaître un Français qui vit à Paris mais n'y a pas grandi est plus délicat. Le secret une fois encore est d'écouter, attentivement. À la seconde où il dira qu'il est parisien, vous pouvez être certain d'une chose : il ne l'est pas.

CONSEIL UTILE :

Le socialisme est mortifère.

PARLEZ PARISIEN :

« Ouais, j'suis né à Paris,
mais toute ma famille vient du Sud-Ouest… »

L'intelligence à Paris est chose facile. Pour les petits, elle se matérialise par des bonnes notes, pour les grands, par un costume. Et puisque les bonnes notes mènent au costume, il existe un indéniable continuum entre enfants intelligents et adultes intelligents. Au fil des ans, les activités et les comportements de la catégorie des gens identifiés comme intelligents sont ainsi devenus aux yeux du Parisien les expressions mêmes de l'intelligence. Cette redéfinition subreptice de l'intelligence prive une grande majorité de personnes de pouvoir un jour prétendre à être considérées comme telles. Au sommet de la pyramide des inintelligents trône l'homme qui s'amuse, qui rit et fait rire : celui que nous appellerons – car parfois le français fait défaut – l'homme fun.

S'il est possible à l'homme intelligent de faire preuve d'esprit (sans toutefois verser dans le rigolo, dignité oblige), il est bien impossible à l'homme rigolo d'être intelligent. À l'évidence. Car s'il l'était, il ne serait pas rigolo, il aurait de l'esprit.
Néanmoins, le Parisien, qui apprécie d'être diverti, aime les gens fun ; un peu comme les adultes aiment les enfants. Un amour teinté de condescendance mélancolique.

Son approche du divertissement reste toutefois éminemment passive. Il observe et déguste avec pudeur. En dépit de ce plaisir, il est important pour le Parisien que ses contacts avec les gens fun restent sporadiques. Prendre pour ami quelqu'un de fun risquerait d'abîmer ses jolis habits d'intelligence. Un bon ami à Paris doit être sympa, ou cool ; mais certainement pas fun. Il est dit que les gens fun à Paris cesseront de l'être ou resteront seuls. Persister dans les enfantillages les conduirait à être traités exactement comme un serveur dans un restaurant chinois : avec distance

et condescendance – mais toujours avec un réel goût pour ce qu'il propose.
L'idée que l'intelligence puisse être mise au service d'une vie plus joyeuse n'a jamais traversé l'esprit du Parisien. Mais comme le roi aime son bouffon, le Parisien aime les gens fun. Plus encore que le divertissement qu'ils dispensent, le Parisien aime le spectacle discret de la souffrance déguisée. L'homme rigolo est un clown triste. C'est là une certitude parisienne (et en rien de la psychologie de seconde zone : « Je ris avec lui mais je le comprends. Je comprends ses blagues, mais, plus important, je le comprends, lui. »
Au bout du compte, le sujet du divertissement à Paris est tout aussi simple que celui de l'intelligence : se divertir est acceptable ; être divertissant ne l'est pas.

CONSEIL UTILE :

Si vous êtes un homme fun
et que vous venez à Paris, bienvenue !
Si vous êtes une femme fun et que vous venez
à Paris, bienvenue également. Mais préparez-vous
à affronter la haine et le mépris de la Parisienne.

PARLEZ PARISIEN :

« Oh non, pas lui…
le p'tit comique de service, c'est bon, quoi… »

GAGNER LES CONVERSATIONS

La conversation est à Paris ce que les *battles* sont au hip-hop : un moment de vérité, un raccourci vers la gloire. Une conversation à Paris est tant une scène qu'une bataille. Le Parisien gagne les conversations. C'est pour lui une belle occupation.

Le non-Parisien pourra s'agacer de cette habitude. Certains jouent au Sudoku, le Parisien converse. De fait, il se laissera aller de temps en temps à de petites discussions légères. Il est humain après tout. Mais discuter n'est pas converser.

Deux règles fondamentales président à l'art de la conversation parisienne. La première porte sur le sujet de la conversation : politique, économie ou géostratégie. Nul autre sujet ne saurait être acceptable – vulgaire. La seconde règle a trait à la forme : pour converser comme un Parisien, il convient de s'opposer. En s'opposant, le Parisien démontre qu'il en sait davantage. Son adversaire se demandera bientôt si le savoir du Parisien est

infini. Le Parisien est fin stratège. Déjà la confiance de son coconverseur s'étiole.
Gagner une conversation est affaire de dignité. Participer à une conversation suffit aux losers. La perdre est chose humiliante. Gagner est une nécessité. Pour ce faire, les stratagèmes les plus douteux pourront donc être mis en œuvre sans éprouver un quelconque sentiment de gêne. Converser renvoie le Parisien à son animalité.
Un des coups bas préférés du Parisien est celui des chiffres. Le Parisien saupoudre chaque conversation de statistiques, pourcentages et autres sondages plus ou moins suspects. Le coup est dur à éviter autant qu'à contrer. Il fait partie du bagage social le plus simple de savoir que ces chiffres n'ont aucunement besoin d'être justes. La forme en revanche importe et il conviendra de les amener avec une docte modestie (« *L'autre jour, je lisais un rapport de l'ONU qui disait que…* »). Le Parisien ne se lasse pas de l'efficacité magnifique du coup des chiffres. Il l'utilise avec gourmandise : tantôt coup de poignard final, tantôt petite acupuncture perverse. Le plus souvent toutefois en guise de parade au raisonnement supérieur de son adversaire.
Dans ce combat sans pitié ni vergogne, le Parisien déploie un superbe sens de l'esthétique. Par amour de l'art, il n'est pas rare qu'il finisse par défendre une cause à laquelle il ne croit en rien. C'est particulièrement vrai dans une pièce où règne l'odeur tiède du consensus. Celui-ci est aphrodisiaque pour le Parisien. L'occasion de s'attaquer seul à tout un groupe est trop belle. Outre le plaisir de la joute, le gain potentiel est immense. Gagner cette conversation permettra au Parisien d'être craint et révéré. Si le prix à payer est

de froisser en chemin quelques mous, le Parisien se pensera chevaleresque et n'en tirera que plus de fierté. Dialecticien hors pair, connaisseur de chiffres et pourfendeur de mous : la coupe est pleine.

Lors d'une conversation avec des amis de gauche, le Parisien partira en croisade contre les privilèges des fonctionnaires et l'inefficacité de l'État français. Avec ses amis américains, le même Parisien chantera les louanges de la merveilleuse protection sociale dont jouissent les Français, soulignant au passage les formidables réalisations de la médecine ou des grandes entreprises publiques françaises, tout en ne manquant pas d'établir sournoisement tout le mépris qu'il a pour l'individualisme à l'américaine.

Les conversations sur les guerres sont également l'occasion de jolies contorsions. Ainsi, le Parisien est-il tout aussi clairement à la fois pour et contre la guerre en Afghanistan. Selon l'interlocuteur.

Si d'aventure, à quelques jours d'intervalle, le Parisien devait être successivement en faveur et en opposition à un sujet donné, il sera bien sûr pleinement acceptable de faire siens les arguments qu'il combattait. D'aucuns y verraient de la duplicité. À Paris, panache serait le mot juste.

CONSEIL UTILE :

Lorsque vous êtes dépourvus de connaissances
sur un sujet donné, faites comme la femme parisienne
et traitez les autres (selon la génération)
de « rabat-joies », d'« ennuyeux »
ou de « prise de tête ».

PARLEZ PARISIEN :

« Je lisais récemment que
plus de 45 000 espèces animales ont disparu
au cours des vingt dernières années… »

Jacques Brel

Rares sont les hommes qui accèdent au panthéon de l'acceptation unanime de tous les Parisiens. Plus rares encore sont les artistes. Jacques Brel est de ceux-là.
Jacques Brel était belge. Normalement, le Parisien lui en aurait tenu rigueur. Mais son talent et sa présence ont eu raison de son origine : Brel était homme avant tout. Il est l'incarnation de ce que le Parisien aurait aimé devenir, ou simplement aimé rester. Il est toute la justesse de ceux qui comprennent, toute l'humanité de ceux qui souffrent et toute la véhémence de ceux qui refusent. Brel était un artiste hors du commun, qui excellait dans l'écriture, le chant et l'interprétation. Sa musique renvoie donc chaque Parisien au bout de talent qu'il promène en lui. Jacques Brel fait résonner les âmes pudiques ; Paris les enfante par milliers. Brel était un homme qui souffrait, scandalisé par les brutalités de la vie. Sa douleur s'envolait en nuées vibrantes et retombait en lourdes gouttes de sueur. Le Parisien ne s'autorise plus de souffrir ainsi. Il se nourrit toutefois encore de la funeste beauté de ces souffrances que l'on ne saurait guérir.
Brel a su ne renoncer ni à son humanité bouillonnante, ni au roman de sa vie : l'un s'est nourri de l'autre, renvoyant toujours au Parisien l'image écornée de sa propre existence. Pointant du doigt en creux ses

BREL

compromissions, ses petits renoncements. Jacques Brel est de ces êtres que la ville, l'argent et les lumières n'ont pas dérobés. Le Parisien se sait un peu éteint, trahissant de faiblesse son humanité chaque jour un peu plus.
Le cocon rare de la douleur et du talent, tissé dans l'élégante vérité de l'homme qui se met à nu, réveille immanquablement l'homme bien né. Savoir ressentir toujours les douleurs lancinantes de la vie est pour lui une forme de distinction intellectuelle. Brel a pris de la douleur et en a fait de la beauté. Le Parisien lui en est à jamais reconnaissant. Brel n'a pas détruit la douleur. Il l'a magnifiée.

CONSEIL UTILE :

Faites plaisir au Parisien :
offrez-lui en poster la photo
de Jacques Brel, Georges Brassens et Léo Ferré.
Vous le retrouverez bientôt dans ses toilettes.

PARLEZ PARISIEN :

« Brel, c'était le plus grand… »

LES ÉTRANGÈRES

La Parisienne est un mythe. Tout bonnement.
Une promenade dans les rues des quartiers huppés de la capitale sera, n'en doutons pas, l'occasion délicieuse de croiser de jolies femmes, toujours apprêtées et élégantes. Le touriste ou le nouvel arrivant se laissera charmer. Et le mythe perdurera. Les nourrissons de la vie parisienne ignorent toutefois ce qui, profondément, motive la femme parisienne. Les Parisiennes partagent toutes une même ligne de conduite qui guide chacune de leurs actions : ne pas être prise pour une pute.
Les conséquences de cette noble cause sont nombreuses. Les plus évidentes vont de l'inaptitude au flirt à l'absence résolue de sex-appeal, en passant par une sobriété de chaque instant, de l'assassinat quotidien du décolleté au mépris pour le sourire et surtout pour toute femme qui ne verrait pas dans cette cause une règle de vie.
Entre vingt et quarante ans, la Parisienne est en couple. Une relation stable restant, et de loin, la meilleure façon de ne jamais être prise pour une pute. Il est intéressant de noter que la Parisienne préfère passer ses jours et ses nuits avec un homme qui lui convient mal que d'affronter la menace diffuse de l'hypothétique spectre de la suspicion morale.

Un jour toutefois, ladite relation se termine. Généralement lorsque l'homme finit par se lasser de devoir espérer compagnie plus avenante. La rupture mène à de réels questionnements, puis à des périodes d'expérimentations qui ne seront que rarement évoquées lors des repas de famille.
Cette conception unilatérale de la vie plonge Parisiens et Parisiennes dans de profondes ténèbres de misère sexuelle.
Fort heureusement toutefois, Paris est une ville sublime.

Un rapide coup d'œil dans un bar parisien éclaire l'observateur sur la façon dont l'amour procède dans la Ville lumière. Parmi la horde de mâles attristés papillonnent quelques étrangères souriantes. Les quelques Parisiennes présentes sont reconnaissables à leur mine résolument accablée et à leur incapacité chronique à décroiser les bras. La nuit, l'homme parisien découvre une réalité inespérée : les étrangères sont différentes. Elles peuvent avoir des diplômes et savoir danser. Elles peuvent sourire et prendre un verre. Elles s'amusent et s'en réjouissent.

L'on ne sort pas indemne d'une telle découverte. Là où le Parisien n'imaginait pour lui en grandissant qu'une Parisienne – l'hypothèse saugrenue d'un amour pour une provinciale ayant été bloquée par son ego à un jeune âge –, un monde entier s'ouvre alors à lui. Le point de non-retour est atteint rapidement.
Les exemples de Français illustres et contemporains qui ont préféré les femmes venues de loin sont nombreux : Nicolas Sarkozy (Italienne), François Fillon (Galloise), Vincent Cassel (Italienne), Olivier Martinez (Australienne)...
Prouvant ainsi que même pour les hommes possédant argent, pouvoir et gloire, la voie du bonheur ne semble pas se dessiner avec la Parisienne.

CONSEIL UTILE :

Si vous aimez une Parisienne,
commencez par ne pas l'aimer,
cela la conduira mécaniquement à vous aimer.

PARLEZ PARISIENNE :

« Pfff... »

LE MOT PETIT

À Paris, ce qui vient en abondance vient nécessairement en excès. Cette règle s'applique à tout. Et plus particulièrement aux choses les plus plaisantes de la vie : la nourriture, le soleil, le fun… Beaucoup de plaisir est à coup sûr trop de plaisir. Ainsi, pour tempérer les emportements de sa conscience, le Parisien fera généralement précéder toute référence à un plaisir de la vie par l'adjectif *petit*.

« Petit » de nos jours se promène rarement seul. Il emmène avec lui ses complices simplicité, modération et convivialité. Il est donc un complément fort commode pour désigner les activités agréables au Parisien. Une façon de le soulager de la gêne que l'idée de plaisir a fait naître en lui. Le Parisien ne s'intéresse pas au grandiose de la vie. Il est, en matière de divertissement, impressionniste. Un petit coup de pinceau à la fois.

Le Parisien aime à guinder son plaisir : il rejoint ses amis dans « *un p'tit restau* », pour « *une p'tite bière* », « *une p'tite blanquette de veau* », « *une p'tite soirée* » ou « *un p'tit week-end* ». L'adjectif *petit* est utilisé sans aucune considération pour les attentes, le travail ou le plaisir investi ou retiré de l'expérience en question. Le Parisien se refusera à admettre avoir fait un quelconque effort pour la préparation d'un moment agréable. Tout autant qu'il balaiera l'idée d'en attendre quoi que ce soit.

Le plaisir à Paris est chose passive. Il est une cerise sur le gâteau du Parisien. Cette cerise ne saurait être bien remarquable : la vie du Parisien est déjà formidable. Tout nouvel ornement ne saurait être que mineur. Et le Parisien tient à ce que vous le sachiez.
Pour flatter l'ego du Parisien, l'on pourra ainsi lui

poser des questions sur son « p'tit week-end ». Il entrera alors dans une énumération neurasthénique d'activités délicieuses. Être parisien consiste à paraître absent dans ces moments. Les p'tits week-ends du Parisien sont et demeureront toujours bien meilleurs que vos *big* week-ends.
À Paris tout est ainsi devenu petit. De la signature sur un reçu au problème le plus significatif. En réduisant la portée du nom, l'adjectif « petit » le rend plus digeste. Au bout du compte, sa généralisation miniaturise bien le monde. Pas en taille toutefois, mais bien en profondeur.
Le Parisien, c'est exquis, est délicat. À Paris, *big is not beautiful*. *Big* est vulgaire. *Big* coupe chez le Parisien son appétit discret pour le raffinement.

Conseil utile :

De la même façon, toute référence à une expérience déplaisante ou douloureuse pourra être précédée de l'adjectif « gros ».

Parlez parisien :

« Je vais vous demander une petite signature. »

Les bobos

Vue de l'extérieur Paris est la ville des bobos. Vue de l'intérieur, la colonisation s'établit à une vitesse sidérante. Pourtant, une double réalité criante échappe aux observateurs exogènes : le bobo n'est pas parisien. Et le Parisien n'est pas bobo.

Le bobo a généralement entre vingt-deux et quarante ans, il a quitté une banlieue moyenne ou une province bourgeoise et s'est établi à Paris pour les études ou le travail. S'il se pense comme la forme la plus aboutie du Parisien, il n'en est rien. La fréquentation la plus assidue d'endroits branchés, la connaissance précise de ce qui fait le cool à Paris n'y changera rien. Être parisien ne se décrète ni ne se travaille.

Là où le Parisien met la vie en scène, le bobo met sa vie en scène. Le bobo se veut le personnage principal de son parcours quand le Parisien s'en fait le narrateur omniscient. Si le Parisien observe les autres, le bobo s'observe lui-même. L'un préfère les aspérités pénibles, l'autre chérit la tiédeur béate. Le bobo fait des brunchs, le Parisien des repas de famille. Le bobo est prévisible, le Parisien insaisissable. Le bobo aime vivre à Paris, le Parisien y est, au mieux, indifférent.

Le bobo a grandi en rêvant de fondre sa singularité dans un groupe où elle serait mieux accueillie. Le

Parisien voit sa propre singularité comme une voile gonflée d'alizés mystérieux le portant vers un impossible plus souhaitable. Le bobo a trouvé à Paris ce qui lui manquait chez lui. Le Parisien n'a pas vraiment de chez-lui.

Le Parisien n'aime pas les bobos. Il sent chez eux une forme de supercherie, une usurpation sourde de son identité et de ce qui fait sa ville. Paris ne peut se nourrir de petits enthousiasmes et de barbes de trois jours. Le Parisien admire les idées fortes et les vies menées debout. Il ne peut donc que mépriser le bobo et le stupéfiant magma qui lui tient lieu de cadre culturel.
Face à cette éruption glaçante, Paris n'est pas le seul

chef-d'œuvre en péril. Le Parisien constate, silencieux, la guimauvisation d'une classe médiatique boboïsée en plein et influente à pleurer. Ce mépris du bobo a fini par redonner au Parisien le goût d'une France qui se perd. Une France plus ancrée qui ne regarde pas son confort, une France plus rigolarde et moins lookée, une France qui n'a pas cédé au relativisme intégral. Le bobo, pas vraiment content de lui, mais pas mécontent non plus, change la société française : il la rend chaque jour plus cool mais moins profondément aimable et certainement nullement admirable.

La plus heureuse des conséquences de la prise de pouvoir de la caste bobo est aussi incontestablement son plus admirable tour de force : celui d'avoir réconcilié les Parisiens avec la province.

CONSEIL UTILE :

Sortir dans les 10e et 11e arrondissements
de Paris sans le déguisement du bobo
vous vaudra d'être objectivé comme votant à droite.

PARLEZ PARISIEN :

« Ils me saoulent les bobos, là. »

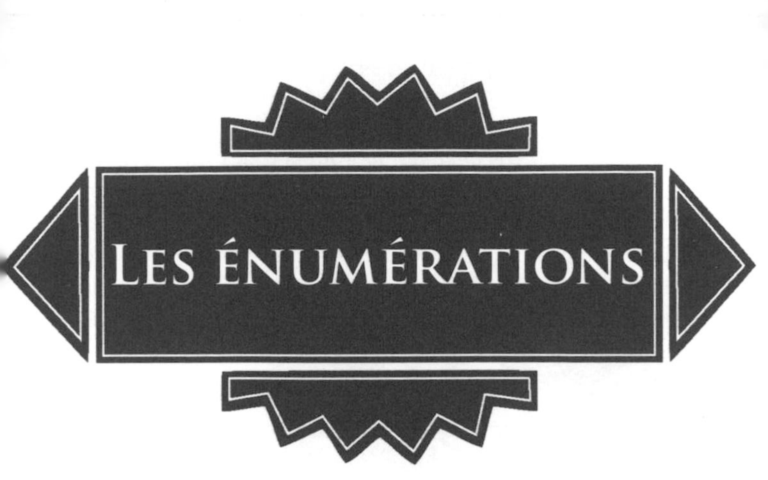

Les énumérations

Le Parisien est un être de culture et de pouvoir. Et il tient à le faire remarquer. Il le fera volontiers de façon insidieuse, par l'usage malicieux de petites énumérations.

Tandis qu'en général l'on énumère ce qu'il reste à faire, le Parisien quant à lui énumère ce qu'il sait. De telles listes peuvent sembler inutiles ; elles le seraient si le Parisien n'avait l'élégance de les partager avec son prochain. Il lui plaît ainsi de clore ses phrases par une exhibition discrète de son savoir. La situation économique des pays d'Europe de l'Est décolle ? Le Parisien illuminera ses congénères d'un « *ouais, j'veux dire, la Pologne, l'Estonie, l'Ukraine, ça décolle, c'est clair* ».

Il serait à ce stade gênant de remercier le Parisien pour ses éclaircissements. Il se montre délicat et attentionné à votre endroit et apprécierait que lui soit réservé un traitement équivalent. D'aucuns avancent que moins le Parisien sait, plus il énumère (syndrome dit « du paon ») : c'est à l'évidence entièrement erroné.

Bientôt, le Parisien devra s'excuser de savoir que « *la philosophie, c'est déterminant : quand tu lis Platon, Kant ou Schopenhauer, c'est quand même hyper puissant* ».

Riche de savoirs et de générosité, il partagera fréquemment avec les professionnels sa propre expertise de leur spécialité. Au restaurant, il détaillera comment faire « *le vrai cassoulet* ». Il expliquera au chauffeur de taxi les parcours les moins encombrés et au fleuriste la signification d'un bouquet de roses blanches. Les étrangers croient que les Parisiens discutent sans raison. Il n'en est rien. La conversation à Paris est acte de pure générosité : une façon d'enrichir l'autre de savoirs et de listes, dans un oubli de soi de chaque instant.
Les Parisiens les plus lettrés portent l'habitude des énumérations dans le monde des adjectifs. Leur foi dans le rythme tertiaire est sans faille. À Paris, une pièce de théâtre n'est jamais tout bonnement émouvante ; elle est « *émouvante, touchante, déstabilisante* ». Un panorama n'est pas simplement beau ; il est « *beau, splendide, magnifique…* » Deux règles président à la déclinaison parisienne du rythme tertiaire. La première consiste à ne jamais employer « et » avant le dernier adjectif ; la seconde à paraître attristé et pensif au terme de l'énumération. Le Parisien admire qui maîtrise le rythme tertiaire. Pour montrer que jamais il ne se prend au

sérieux, le Parisien prendra le rythme tertiaire en dérision en lui donnant les atours d'un rythme quintenaire. Une chance pour lui de sembler tout à la fois cultivé, sensible et plein d'esprit.
Il va sans dire que questionner la pertinence d'une liste est horriblement impoli. En France, les élèves ne sauraient remettre en cause le savoir du maître. Comment donc s'autoriser à mettre en doute celui du Parisien ? Tout particulièrement sur ses petites énumérations.

CONSEIL UTILE :

Pensez à apporter un carnet et un stylo lorsque vous discutez avec un Parisien.

PARLEZ PARISIEN :

« L'Italie, c'est trop beau… Naples, Florence, Rome… »

Le ski n'est pas un sport ; c'est une destination.
Le Parisien va au ski. Généralement une fois par an, dans les Alpes. Les Pyrénées sont un repaire de Sudistes bruyants et sont donc à éviter. Celui en quête d'« une destination plus famille » pourra opter pour le Jura ou les Vosges.
Choisir sa station est un élément décisif de la constitution d'une identité parisienne. Il convient, pour se sentir à l'aise dans un cercle donné, de ne fréquenter que les stations adéquates. Tignes vous offrira le respect du vrai skieur ; Courchevel vous ouvrira les portes du Paris snob ; Les Ménuires révèleront un goût pour le ski qui ne suffira toutefois pas à masquer un problème évident d'exigence.
L'objectif principal d'un séjour au ski est d'obtenir les meilleures marques de bronzage. De belles marques

de bronzage sont l'indication criante mais modeste que oui, « *vous êtes allé skier et que oui, le temps était exceptionnel, merci* ». Ainsi, les chances de trouver un Parisien sur les pistes sont moindres que celles de le trouver à prendre le soleil en terrasse d'un restaurant d'altitude. Il faut connaître ses priorités et savoir se sacrifier pour atteindre ses objectifs.

À son retour, le Parisien ne manquera pas de se plaindre de ses marques de bronzage. « *Ouais, je sais, ça fait con.* » En vrai sportif, il aura un mot sur la qualité de la neige. Soit « *excellente* », soit « *dégueulasse* ». Parfois aussi « *un peu juste* ».

Si d'aventure une année, il ne peut aller au ski, il lui sera impératif de se justifier auprès de ses congénères : « *Pas le temps, j'ai trop de boulot cette année* » ou « *Cette année, je suis allé au soleil* » (le soleil, comme le ski, étant une destination pour le Parisien). Ne pas aller au ski pour un Parisien est un peu comme ne pas aller à l'église pour un catholique. Cela met en péril sa respectabilité. Le ski fait partie intégrante de l'identité parisienne. Sans ski, fi de Paris.

Il sera donc nécessaire de revenir du ski avec de bonnes histoires parisiennes. Le Parisien s'efforcera de rentrer agacé par le nombre de personnes qu'il ne voulait pas voir et qu'il a malgré tout croisées, amusé par cette fois où un touriste anglais a manqué de le tuer (il ne savait – à l'évidence – pas skier) ou pas peu fier d'avoir rapporté de beaux saucissons ou fromages de montagne. Son sac avait une drôle d'odeur, mais « *alors là, j'm'en fous, c'est tellement bon* ».
Le Parisien est audacieux. Ça se sent dans ses histoires.

CONSEIL UTILE :

Sur les pistes, skiez en jean et pull-over.

PARLEZ PARISIEN :

« Ouais, on a eu de la chance,
la neige était excellente. »

LES BEAUX QUARTIERS

Il est de notoriété publique à Paris que tous les habitants d'un même arrondissement ne font qu'un. Ils parlent de la même manière, s'habillent de la même façon, sortent dans les mêmes endroits et occupent les mêmes professions. Cette connaissance permet au Parisien de taper allégrement sur les arrondissements les plus aisés.

Cette activité très parisienne trouve son fondement dans des décennies d'analyses sociologiques empiriques. Elle est donc pleinement acceptable.

Les Parisiens vivant dans les 6e, 7e, 8e, 16e et 17e arrondissements sont tous des « *bourges* » : ils conduisent tous une Smart ou une BMW. Ils passent tous leurs vacances à Cannes ou à Courchevel, et portent tous des polos Ralph Lauren. Seuls les Parisiens vivant dans le 16e peuvent prétendre à la dénomination de « gros bourges ». Ils sont tous riches et à ce titre méritent d'être punis. Un « gros bourge » est comme un bourge, mais en pire. Il n'est besoin d'aucune autre

forme d'explication. Le terme est transitif et une amitié nouée avec un gros bourge fera immédiatement de vous un « gros bourge ».
Au Brésil, il se dit que l'on couche toujours avec des gens plus foncés que soi et que l'on se marie toujours avec des plus clairs que soi.

La même logique est à l'œuvre à Paris. Si les aventures peuvent facilement conduire au-delà des frontières des arrondissements huppés, les mariages sont davantage circonscrits.
Taper sur les arrondissements aisés est une activité pratiquée également parmi les résidents desdits arron-

dissements. Un mariage entre une jeune fille du 16e et un garçon du 6e sera vu dans la famille de la demoiselle comme une disgrâce (dilapidation patrimoniale, envahissement d'idées gauchisantes, annihilation de tout esprit d'entreprise...), tandis que la famille du jeune homme verra la menace planer sur le foyer de son fils (effondrement culturel, perte de classe, règne de l'argent roi).

Choisir de déménager dans un arrondissement aisé est un pas décisif dont il faut peser toutes les implications. Dans la mesure où il est en France poli de demeurer pauvre toute sa vie, une telle ascension sociale assumée et même apparemment revendiquée sera perçue par le plus grand nombre comme une fuite en avant, une provocation presque, typique de celui qui n'a pour seules valeurs que l'argent et la frime.

CONSEIL UTILE :

Pour sembler bourge, et ainsi gagner
la confiance des personnes issues
d'arrondissements aisés, relevez votre col.

PARLEZ PARISIEN :

« Tu vois, le mec… hyper 16e ! »

SE PLAINDRE

Si le Français s'est taillé une jolie réputation pour sa façon de continuellement se plaindre, le Parisien élève cette habitude au rang d'art. À Paris, l'enthousiasme est vu comme une forme discrète de débilité légère. L'homme heureux ne peut qu'être idiot. À l'inverse, celui qui se plaint doit nécessairement être intelligent. Un superbe syllogisme parisien est ici à l'œuvre : la personne qui se plaint est celle qui a identifié le problème. La personne qui a identifié le problème est la personne intelligente. Par conséquent, la personne qui se plaint est la personne intelligente.

Ce raisonnement affecte en profondeur l'esprit du Parisien, faisant ainsi de lui une personne constamment intelligente. En plus que d'être, à l'évidence, une personne lucide, douée de cette sagesse infinie qui lui permet de ne jamais se fourvoyer dans des perspectives crétines comme celles du bonheur simple. À Paris, se plaindre est le plus beau des remèdes contre le bonheur et donc contre la bêtise.

Avec un indéniable talent, le Parisien réussit à ternir sa réalité en toute situation. Il trouvera toujours quelque chose dont il pourra se plaindre : la qualité d'un plat, les gens, le métro, le boulot, les politiques, les voisins...

Plus le sujet de la plainte sera inédit et incongru, plus

le Parisien bénéficiera de l'estime affectueuse de ses pairs (si d'aventure une telle chose existait).
Se plaindre du temps ou de la télévision ne suffira pas à s'extraire de l'anonymat. Se plaindre en revanche de personnes ou de concepts largement révérés par le Parisien (Woody Allen, les pique-niques au Champ-de-Mars ou s'asseoir en terrasse) vous identifiera à mi-chemin entre l'irrésistiblement original et le délicieusement iconoclaste.
À l'évidence, l'idée de faire quelque chose face à la situation dont il se plaint ne traverse à aucun moment l'esprit du Parisien (que vous êtes vulgaire parfois).
Au bout du compte la rhétorique de la plainte est imparable : l'on n'est pas heureux mais l'on est intelligent ; l'on n'est pas heureux car l'on est intelligent. Au bout du compte, vivre intelligent vaut mieux que de vivre heureux.
Qu'il est doux d'être parisien…

CONSEIL UTILE :

Soyez créatif.

PARLEZ PARISIEN :

« Il fait vraiment trop chaud, c'est insupportable. »

Le soleil évite Paris avec une application presque irritante. Le Parisien ne s'en cache pas : il en souffre. Lorsque enfin toutefois le soleil se résout à poindre, le Parisien, telle une midinette redevenue intéressante pour le bellâtre qui la délaissait jusqu'alors, modifie sa façon d'être.

Par une journée ensoleillée, il est impératif pour le Parisien de signifier à ses amis et collègues qu'effectivement, il fait beau : « *T'as vu, il fait beau, c'est super !* » Dans la mesure où une bonne majorité des interactions à Paris commence par un mot sur le temps qu'il fait, un jour ensoleillé ancrera la discussion dans la joie. En même temps qu'il retrouve le soleil, le Parisien redécouvre la légèreté.

Les Parisiennes sont les plus promptes à réagir aux premiers rayons ; terrées jusque-là dans l'impatience

des préparatifs, elles dégainent leurs nouvelles tenues et accessoires avec un empressement presque inquiétant. Le retour des beaux jours servira aussi de formidable excuse pour lancer leur traditionnel : « *J'ai rien à me mettre, il faut absolument que j'aille faire du shopping.* »

Automatiquement, le Parisien sort davantage de sa tanière. Principalement pour se délecter de ce charmant défilé. Mais aussi pour répondre à son tour à l'appel de ses instincts estivaux. Sous le soleil, l'homme parisien se transforme en un irréductible séducteur. Il abrège ses journées de travail et n'hésite pas alors à déboutonner deux, trois, parfois quatre, même cinq boutons de sa chemise. Certaines femmes en seront gênées.

La capitale devient alors plus légère, plus joyeuse

et plus sexuée. Tout cela dérange l'ordonnancement des choses qui prévaut sous la grisaille et la pluie. À Paris, le soleil est en soi un arc-en-ciel. Y glissent les boutons superflus et les interactions maîtrisées. Cette pente colorée conduit à un méditerranéisme presque incongru.

Fort heureusement, le soleil finit par se détourner. La froideur rassurante reprend ses droits. Le travail aussi. Le règne des jupes courtes et des torses offerts prend fin dans le piteux de l'automne.

Comme le dit le général de Gaulle un jour de mai 1968 : la récréation est terminée.

CONSEIL UTILE :

En matière de lunettes de soleil,
évitez les formes trop sportives.

PARLEZ PARISIEN :

« T'as vu le soleil ?! Il faut absolument en profiter. »

Les soirées

Le touriste de passage sera à coup sûr déçu de la vie nocturne parisienne.
Outre le climat de dépression ambiant et l'évidente paupérisation du peuple de France, il est une raison fort évidente pour expliquer ce phénomène. Les jeunes Parisiens sortent moins que leurs congénères étrangers, et différemment aussi. Le jeune Parisien passe ses soirées chez ses amis. Il est ainsi deux sortes de soirées en appartement : « *la soirée posée* » et « *la grosse soirée* ».
La « soirée posée » est un rassemblement bien calme. Les Parisiens réunis s'assoient sur les canapés, les fauteuils ou le sol. Ils boivent avec raison et grignotent « *des p'tites conneries* ». La musique est tapie. Le sujet des discussions varie mais aboutit généralement sur la politique. L'ambiance s'électrise alors. Deux camps se dessinent et les filles finissent la soirée dans la cuisine ou sur le balcon à discuter du travail, de leur aventure secrète ou de leurs sorties shopping. Les garçons quant

à eux finissent de se jauger à l'aune de la pertinence de leurs lectures de l'actualité et de la réalisation de leurs projets. « La soirée posée » est traditionnellement improvisée l'après-midi même et renouvelée sur un format identique tous les vendredis ou samedis soir.

« La grosse soirée » implique davantage de Parisiens, d'alcool et de préparation. Le Parisien est réticent tant à l'idée d'aller à une grosse soirée qu'à celle d'en organiser une. « *De toute façon, ici c'est trop petit et puis ils vont tout me dégueulasser, tu les connais pas…* » Le succès d'une grosse soirée sera atteint si deux critères de succès sont remplis : un bel équilibre sexuel et une diversité provocante des invités.
L'idée de passer ses soirées ailleurs que chez soi ou chez des amis est tout à fait incongrue. Après tout, quel pourrait bien en être le bénéfice ?

CONSEIL UTILE :

N'apportez pas de vin
à une grosse soirée. C'est pénible.

PARLEZ PARISIEN :

« Si tu veux passer à la maison ce soir,
j'ai invité deux, trois personnes. »

LES SERVEURS

En matière de service, le Parisien aimerait vivre en Amérique. Il aspire à des torrents de sourires, des avalanches de prénoms, des déluges de cordialité. Mais la réalité est têtue : il vit à Paris.
Et Paris n'est pas l'Amérique.
En France, les torrents de sourires, les avalanches de prénoms et les déluges de cordialité ne sont pas le signe d'un service de qualité, mais bien que vous êtes entourés de gens saouls. Et les gens saouls sont rarement en train de prendre votre commande ou de vous l'apporter. Le Parisien est à ce propos tout à fait catégorique : à Paris, les serveurs ne sont « *pas aimables* ». La plupart sont même « *des gros cons* ».
Cet état de fait n'est pas négociable. Le Parisien ne laissera pas passer impunément une remarque laudative sur cette corporation. Taper sur les serveurs parisiens est l'une des rares choses où le Parisien et le reste du monde se retrouvent.
Il ne s'interroge pourtant jamais sur les causes de ce qu'il estime être un service de piètre qualité. La question sera savamment esquivée d'un « *c'est pas ma faute s'il a un job de merde* », généralement agrémenté d'un « *y a trois millions de chômeurs. S'il est pas content, qu'il fasse un autre boulot, putain* ». Le Parisien est un être de compassion. Jamais il ne lui viendra à l'esprit de

mettre en question sa propre impolitesse et son incapacité à sourire. Ou même d'intégrer les pourboires dans la jolie balance de ses comparaisons transatlantiques.
À Paris, serveurs et clients ne s'apprécient guère. Dans un formidable tourbillon passif-agressif, les tensions silencieuses s'accumulent et la qualité de l'expérience générale se détériore.

Dès lors, quand, un jour, le Parisien ou le serveur se trouve être de bonne humeur, l'interaction bascule dans le rafraîchissant éperdu : une brise en plein désert, un éclair de convivialité dans un ciel orageux

et grognon. Le serveur sera sur-le-champ qualifié de « *très sympa* ». Le Parisien se délectera de ce moment et transmettra l'adresse à tous ses amis.
L'idée d'essayer d'être lui-même plus cordial afin que soient moins rares ces petits moments de félicité n'effleure jamais le Parisien : « *C'est pas à moi d'être aimable, putain.* »
À l'évidence, le Parisien n'est pas encore tout à fait prêt pour l'Amérique.

CONSEIL UTILE :

Devenez l'ami du serveur parisien
en racontant des blagues cochonnes.

PARLEZ PARISIEN :

« Il est vraiment pas aimable, c'est dingue... »

Le Parisien n'a pas grandi aux champs. Enfant, il n'a que rarement fait l'expérience du monde en direct. Il s'est façonné petit au contact des livres, de la télévision et de l'école, découvrant toujours par procuration. Devenu adulte, l'arbre aura porté ses fruits : le Parisien se satisfera de laisser les autres faire l'expérience du monde pour lui.

Il connaît assez de la vie par ce qu'il connaît d'eux. Il sait les écueils des chemins qu'ils empruntent, il en perçoit les peines et les douleurs. Et se satisfait de n'avoir pas à les endurer.

Les bons vivants se trouvent au sommet de la pyramide de ces autres que le Parisien aime mais dont il ne souhaite pas être. Les bons vivants aiment manger, boire et rire. Riche de sa connaissance précise des auteurs grecs, le Parisien les décrira comme « *des épicuriens* ».

Il n'en est rien : leur ascétisme est de priver la vie de moments maigres, leur générosité de ne chérir rien tant que cette seconde qui s'envole. Le Parisien pressent de la candeur là où il devrait voir de la résolution. Il devine du simplisme là où la sagesse est tapie. Il perçoit de l'excès quand il devrait simplement s'asseoir et boire un verre.

Les Parisiens admirent la capacité que certains semblent posséder à simplement profiter et s'amuser. Rares sont ceux qui au cours de leur vie parviendront à accéder à un tel lâcher-prise.
La vue d'un bon vivant est agréable au Parisien. Cette joie dont il déborde l'apaise. Son embonpoint le satisfait et le rassure : c'est sûr, le Parisien est sage de ne point vivre cette vie. Grise sagesse que celle des maigres. Le Parisien de plus de cinquante ans aura

souvent à cet instant une pensée pour l'accident vasculaire auquel, pense-t-il, le bon vivant ne pourra pas échapper durant la cinquantaine. Tout cela le confortera dans son style et ses choix de vie : il s'en délecte, avec une gourmandise blafarde.
Le cerveau est un instrument de plaisir bien plus puissant que les yeux : fantasmer le bon vivant est ainsi plus délectable encore. Le bon vivant est le dernier des Mohicans d'une France dont le Parisien aimerait qu'elle ne soit en voie d'extinction. Une France du bien manger, des verres bien remplis et d'une joie simple du quotidien, une France qui se meurt – le Parisien avisé en est le premier témoin.
S'il y a une guerre à mener, un empire à préserver, le Parisien le fera en paroles. Le bon vivant n'est pas un résistant. Mais le Parisien souhaiterait le soutenir, l'encourager dans ses libations joyeuses. Il veut être du bon côté : celui des gentils et d'une vie plus gourmande. Alors il jouera un instant la comédie du bien vivre. Puis s'interrogera dès le lendemain : « *J'ai pris un peu ?* » Débutera alors une tout autre forme de résistance…

CONSEIL UTILE :

Un antre de bons vivants ? L'Auberge Pyrénées-Cévennes, dans le 11e arrondissement.

PARLEZ PARISIEN :

« J'étais dans le Sud-Ouest : ils sont bons vivants les mecs… foie gras, pinard. Ils s'en foutent pas sur les chaussures… »

Dans le monde entier, Paris est la ville de l'amour ; pour les autochtones, Paris est la ville des couples. Plus ou moins officiel, plus ou moins heureux, le couple parisien se contente souvent d'être, naviguant en silence entre petits et grands fracas. Il n'est, à Paris, point de salut pour les célibataires. Si la qualité d'une ville se mesurait à l'aune de la tension sexuelle qui y règne, Paris serait sans conteste la ville la plus insignifiante au monde.

Tous les jeunes Parisiens sont en couple. Principalement car le couple prémunit du célibat. Rétifs à la vie, ils voient dans la plupart des choses une menace, dans la plupart des situations un danger, et dans les chemins singuliers un risque inutile. Le péril partout se cache. Le couple, dans sa rondeur, est pour eux dépourvu

de recoins menaçants ; du couple, ils connaissent les sacrifices et croient donc saisir les dangers. Choisir les menaces auxquelles ils s'exposent rassure les jeunes Parisiens. Leurs relations sont longues : pas tout à fait assez satisfaisantes pour se marier, mais certainement pas suffisamment médiocres pour se séparer.
Passé vingt-six ans, le célibat est signe d'un esprit troublé : le célibataire vieillissant sera donc rapidement ostracisé. Ne pas être en couple, socialement, vaut solitude : spectre honteux, rendu presque funeste par l'inexistence consommée d'une jeunesse joyeuse qui s'amuserait dans le flirt. Sur ce sujet, l'adjectif « glauque » sera employé à l'envi et le Parisien accouplé rassurera son ami célibataire d'un « *mais t'inquiète pas, ça sert à rien, t'es quelqu'un de super et, de toute façon, c'est quand on ne cherche pas qu'on trouve* ».

La vie parisienne offre un cadre parfait pour une vie de déceptions romantiques : l'absence de célibataires dans la ville invite à rester en couple ; cette décision, prise pour de mauvaises raisons, conduit à de nombreuses frustrations et, souvent, aboutit quelques années plus tard à ces séparations douloureuses mais rarement déchirantes. Les plus anciens, forts d'un ancrage moral et religieux résistant, demeurent avec leur épouse tout au long de la vie (à moins que ce ne soit l'inverse). Ils aiment à complimenter et à galéjer avec les belles femmes que la rue parisienne met sur leur chemin cahotant. Les Français s'en amusent, les étrangers s'en offusquent. Mais cette France charmante est en voie d'extinction.
Faire la cour n'est plus une habitude parisienne. Le Parisien n'est plus assez joueur ni assez persistant ; la Parisienne quant à elle, prise dans l'étau de la double

obligation de n'être ni facile ni célibataire, devient chaque jour moins désirable. Après vingt-six ans, la vie à Paris se vide pour quelques années de la séduction et du flirt.
La sécheresse ambiante inhibe les natures et les ambitions. La jeunesse parisienne porte tout le poids de sa propre médiocrité. Elle vivote terne entre couples mal ficelés et séparations annoncées.
La ville de l'amour met ça sur l'air du temps. Paris devenue mégère aveuglée et beuglant. Butée comme une veille, qui n'existe plus vraiment.

Conseil utile :

Les Parisiens qui n'entrent pas
dans le cadre expliqué ci-dessus finissent
généralement en couple… avec un(e) étranger(e).

Parlez parisien :

« Ils sont ensemble depuis cinq ans…
Ouais, ça se passe bien je crois…
Non, ils sont pas mariés, non, non. »

LES TOURISTES

Être touriste à Paris a un prix : celui de la respectabilité. En posant le pied à Paris pour leurs vacances, bons pères de famille, étudiants brillants ou travailleurs laborieux sont tous décapités : ils deviennent « des touristes ». Il n'est, à Paris, rien de plus dégradant que de faire partie de cette caste. Les touristes ne sont qu'un : ils sont pour le Parisien dépourvus de goût et constituent une humanité parallèle. Une armée d'êtres gris, secondaires. Certains ont de l'argent et dans ce cas, c'est à l'évidence la seule chose qu'ils possèdent. Le Parisien ne voudrait pour rien au monde devenir l'ami d'un touriste – le ridicule a ses limites.

Les touristes accumulent les erreurs, comme si l'unique ambition de leur séjour à Paris était d'exaspérer le Parisien. Ils portent des baskets blanches, marchent lentement, parlent fort, portent des couleurs douteuses, se perdent et s'émeuvent bruyamment. Ils sont péniblement identifiables.

Tout commerce qui séduit les touristes est immédiatement considéré comme « une arnaque » par le Parisien. L'idée qu'un touriste puisse être capable de prendre des décisions rationnelles voire informées quant à la façon de dépenser son temps ou son argent à Paris n'a jamais effleuré le Parisien. Il n'est, à cet égard, que deux types de touristes : d'une part ceux qui fréquentent « les pièges à touristes », de l'autre, « les scandaleusement riches ». Le Parisien ressent de la peine pour les deux catégories, sachant qu'il leur sera impossible de connaître jamais le « vrai » Paris. Le Parisien ne peut suspecter qu'il est des milliers de touristes qui adorent sa ville, l'ont apprivoisée, y reviennent régulièrement et peuvent citer les bonnes adresses du moment bien plus qu'il ne le peut.

Parmi la caste des touristes, le Parisien ne fera référence qu'à quatre nationalités : *les Chinois, les Japonais, les Italiens-ou-les-Espagnols* (*Italie-ou-Espagne* n'étant en fait qu'un seul et unique pays) et *les Américains*. Il a une connaissance précise de chaque type : *les Chinois* voyagent en groupes et font du shopping chez Louis Vuitton ; *les Japonais*, s'ils sont âgés, voyagent en groupes et prennent des photos, arborent des coupes de cheveux et des vêtements excentriques s'ils sont jeunes ; *les Italiens-ou-les-Espagnols* parlent fort ; *les Américains* disent « *Oh My God !* » et « *Amazing* ».

Ces généralités étant le plus souvent fondées, le Parisien n'a que peu d'occasions d'observer une réalité dissonante. Cela le conforte dans la certitude que les touristes n'ont *a priori* pas d'âme. Ils se contentent d'être des touristes. Le Parisien méprise les touristes qu'il imagine penser que le Paris qu'ils découvrent est le vrai Paris : lorsque le Paris des touristes est perdu pour le Parisien quelque part entre l'inauthentique et le trop cher pour lui, son Paris est bien sûr le seul, l'unique « vrai » Paris.
Rares sont les Parisiens qui travaillent au contact des touristes. Pour autant, tous sont bien conscients de leur apport à l'économie locale. Moins nombreux sont ceux qui s'aperçoivent de l'impact sur les prix de l'immobilier de l'attrait touristique de Paris et de la redéfinition subreptice de leur ville qui en découle.
Un par un, les bénéficiaires de la mondialisation chassent les Parisiens hors de Paris, faisant de Paris une jolie coquille vide. Du monde entier, les amoureux de Paris, avec toutes les bonnes intentions du monde, orchestrent l'agonie silencieuse du charme de la ville. Ce schéma terriblement moderne, pleinement à l'œuvre par exemple dans le 7e arrondissement, repousse peu à peu les plus modestes loin du centre. Le melting-pot social de travailleurs et de familles qui faisait le charme populaire du Paris d'autrefois est peu à peu remplacé par un melting-pot géographique des riches du monde entier, venus à Paris en goguette contempler, puériles, la France dont ils avaient rêvé, les Parisiens qu'ils s'imaginaient.
Dans ce monde fort commode, il n'est pas rare pour des touristes assis côte à côte dans un restaurant de découvrir au détour d'une discussion arrosée de bons vins français qu'ils sont voisins dans leur pays d'origine. Le

serveur parisien témoin de la scène se remémorera le soir venu la scène dans son RER en route pour son studio de banlieue… pensant dans un sourire que « *c'est fou* ».
Qui a dit que les serveurs parisiens n'étaient pas gentils ?

CONSEIL UTILE :

Les touristes ont une âme, traitez-les avec humanité et les égards dus à tout visiteur : il n'en ressortira toujours que du bon.

PARLEZ PARISIEN :

« Oh, les touristes, putain, j'y crois pas…
Tu l'as vu l'autre avec sa banane, ses baskets et son appareil photo : champion du monde ! »

Les hommes

Trois types d'hommes coexistent à Paris : les homosexuels qui ont l'air gay, les hétérosexuels qui ont l'air gay et les hommes de plus de cinquante ans.
Il n'est pas aisé d'avoir plus de cinquante ans à Paris. La majorité des quinquagénaires peut facilement être identifiée comme hétérosexuelle : ceci trahit leur âge avancé et – développer un look gay après cinquante ans n'étant pas chose aisée – les contraint à l'accepter, sans chercher à le travestir.
Les Parisiens de moins de cinquante ans n'ont, Dieu merci, pas ce problème. Ils peuvent avoir l'air gay sans que personne ne les suspecte d'être d'une génération déclinante. À Paris, nombre d'homosexuels, c'est compréhensible, développent dans leurs choix vestimentaires et leurs attitudes un air gay. Le visiteur s'étonnera que le Parisien hétérosexuel souscrive au même schéma.
Le canon du corps mâle parisien est d'être chétif. Cet objectif est atteint facilement grâce à des années pas-

sées à ne jamais pratiquer aucun sport, ni manger ou boire à l'excès. Pour couvrir leur corps glorieux, les mâles parisiens optent pour des vêtements qui naviguent généralement entre le « passe-partout » et le « qui fait gay ». Quel que soit l'objet de leur choix, il convient de comprendre qu'ils n'ont jamais l'impression de faire gay. Pour eux, ils sont « *bien, normaux* ».

Les attitudes gay relèvent du même schéma. Si de nombreux homosexuels se comportent comme des gays pour des raisons évidentes, le visiteur sera là encore surpris de voir combien les mâles hétérosexuels en font de même. Se comporter comme un gay est devenu une habitude française récente, héritage totémique de trois décennies d'institutionnalisation d'une vision guimauvienne et pacifiste du monde et de l'espèce humaine. Mais là encore, le Parisien déploie cette habitude dans des galaxies inexplorées : tandis que la plupart des mâles français se comportent comme des gays sur des sujets donnés, les Parisiens font tapis et appliquent cette logique à chacune de leurs actions et de leurs décisions. À Paris, se comporter en « vrai mec » est largement déconsidéré. Le « vrai mec » affiche de façon trop criarde des caractéristiques qui à Paris renvoient à un manque d'intelligence et de raffinement : les notions de force, de masculinité, de puissance physique et d'opinions ou de valeurs tranchées sont ainsi devenues fort suspectes à Paris. Elles sont perçues comme la porte ouverte à la brutalité.

À ce stade, d'aucuns pourraient ressentir de la compassion pour la femme parisienne. D'aucuns devraient en ce cas garder leur compassion pour les homosexuels parisiens : ils sont en effet sans doute les seuls à appeler de leurs vœux un sursaut de testostérone dans leur

ville. La Parisienne quant à elle ignore plus ou moins délibérément le phénomène : si son petit ami a l'air complètement gay, c'est principalement car « *c'est un mec hyper sympa, très fin, vachement intelligent* ». Elle a atteint un niveau de sagesse qui lui permet de dépasser ses inclinations naturelles. La virilité est rude, malodorante et inconfortable – point final. L'idée selon laquelle certains hommes virils sont aussi des êtres raffinés est bien trop saugrenue pour la Parisienne.

Les exemples de tels phénomènes de foire sont en effet suffisamment rares à Paris pour pouvoir en déduire que la règle qui prévaut à Paris doit sans doute être universelle.

CONSEIL UTILE :

Ne vous méprenez pas : à Paris, avoir l'air gay en tout point ne signifie pas être gay.

PARLEZ PARISIEN :

« J'suis allé faire un peu de shopping : un p'tit T-shirt col en V, des p'tites lunettes Kenzo et des espadrilles. Tranquille, quoi, pour l'été… »

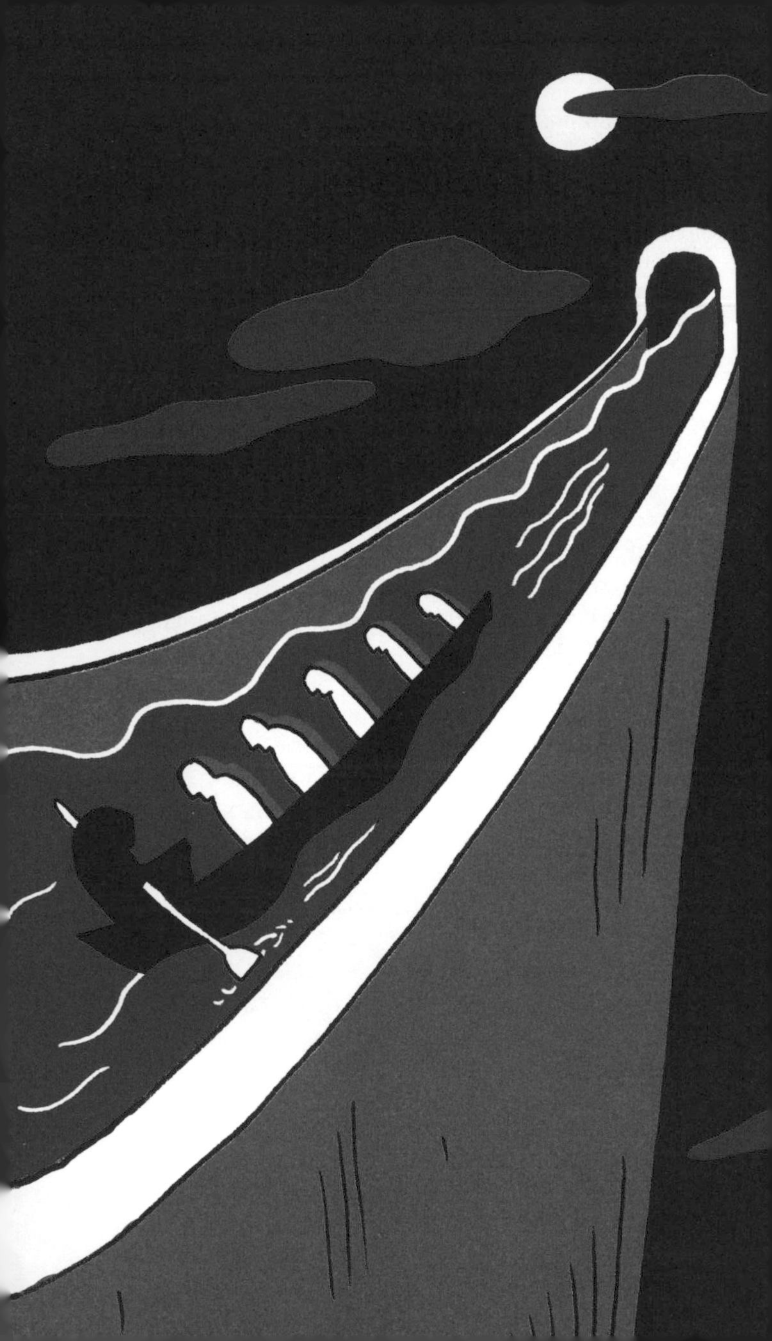

LE MÉTRO

Les Parisiens forment avec leur métro un vieux couple. Des années de fréquentation quotidienne ont abouti à une connaissance mutuelle et profonde l'un de l'autre. Un bon jour, ils sauront reconnaître combien ils sont précieux l'un à l'autre ; mais au moindre accroc dans la mécanique de leur valse souterraine : la haine.
Le métro n'est pas jaloux : il fut, pour la plupart des Parisiens, le théâtre mouvant de passions éphémères et de déchirements poétiques. Tout Parisien digne de ce nom est déjà tombé plusieurs fois éperdument amoureux dans le métro – moments délicieux et fugaces du rythme de la vie qui se joue en silence de nos petites âmes. Les esthètes romantiques apprécieront la ligne 1, qui, au printemps ou en été, prend des allures d'éden sombre et bruyant. S'asseoir, déguster modestement le spectacle de la vie urbaine. Équipé d'un livre ou d'un iPod, le Parisien est prêt à explorer discrètement l'altérité.
Le choix de l'accessoire permettra d'affiner le profil du Parisien dans son métro. Tandis que le baladeur trahira un côté moutonnier, le livre donnera à son personage une patine charmante. Le choix dudit livre est déterminant : les best-sellers du moment sont à éviter – vulgaires. L'exigence est un atout mais, en la matière, la mesure doit présider : un classique est ainsi une porte de sor-

tie aussi sûre qu'élégante. Jouer la carte du décalé – toujours si chère au Parisien – est aussi possible : une bande dessinée pour enfants fera merveille pour le dandy ou l'homme d'affaires. L'arme fatale restant *Le Petit Prince* – la plus altière des invitations à mener une vie plus belle. Le dire dans le métro est comme faire pousser une fleur en plein désert : un moment advient.
Les charmeurs du métro sont au fond de vrais romantiques. Les femmes qui les séduisent ne suspectent jamais combien elles ont changé le triste cheminement entre Étoile et Châtelet.
Tous les trajets ne constituent toutefois pas des parenthèses enchantées. Certains attisent le besoin que ressent toujours le Parisien de se plaindre (en l'occurrence, c'est suffisamment rare, souvent à raison) : les thèmes abordés vont alors des odeurs à la température, de la lenteur à la ponctualité – et, par-dessus tout, les grèves. Les Parisiens ne supportent pas les grèves de la RATP : le terme « *prise d'otages* » est généralement lancé sans plus de circonvolutions. La ligne 14, n'ayant pas de conducteurs et n'étant donc jamais en grève, est à ce titre la préférée de bon nombre de Parisiens.
La pire des lignes de métro vaut toujours mieux que la meilleure des lignes RER. Plus longs, plus profonds, plus rapides, les RER commencent et finissent leur parcours en grande banlieue. Devoir explorer les profondeurs incertaines du réseau ferroviaire parisien est suffisamment pénible pour ne pas avoir à en essuyer le pire. Les Parisens acceptent, s'ils le doivent, d'être confrontés à la chaleur dégoûtante, aux odeurs nauséabondes et aux grèves indécentes du métro, mais certainement pas aux banlieusards du RER. La plupart du temps, le métro pourrait être confondu

avec le championnat du monde de dépression sur rails. Les provinciaux n'aiment rien tant que se moquer des mines parisiennes dans le métro : « *Oh, eh, vous faites tous la gueule, vous les Parisiens, dans le métro.* »

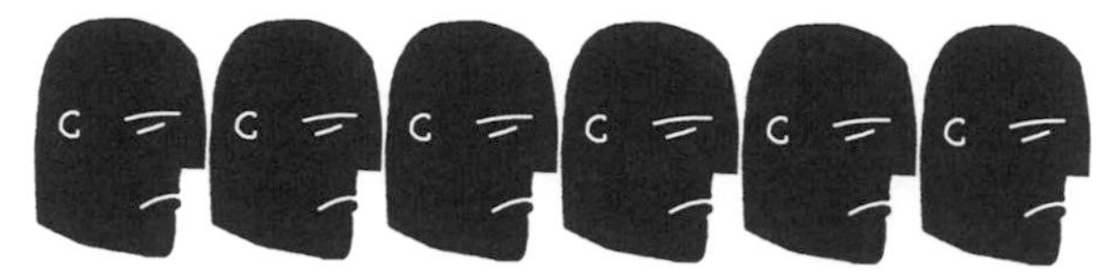

Pas faux. Deux semaines après leur emménagement dans la capitale, il est bon de savoir que la grande majorité des provinciaux ferait de sérieux concurrents pour une médaille dans ce championnat bucolique.
Deux adjectifs prévalent à Paris pour qualifier le métro : *pratique* et *rapide*. Les Parisiens pour qui, dans la balance du confort, le plateau des désagréments se met à peser plus lourd que celui du « pratique et rapide » devront bientôt trancher : quitter Paris ou acheter un scooter.
Le nombre chaque jour grandissant de scooters qui pérorent dans les rues de Paris atteste, s'il en était besoin, que peu importe combien le Parisien peut changer, il sera toujours plus à même de prendre une nouvelle maîtresse que de quitter sa vieille épouse de ville.

CONSEIL UTILE :

Investissez dans un anorak et faites du vélo.

PARLEZ PARISIEN :

« Tu prends la 4. Toc, 3 stations et t'y es. Facile. Bon, on se voit ce soir. J'te fais la bise, je file, j'suis à la bourre… »

Composé par Nord Compo Mutimédia
7, rue de Fives, 59650 Villeneuve-d'Ascq

Achevé d'imprimer par Pollina - L61089
Dépôt légal : novembre 2010
Nouvelle édition : novembre 2011
Nouveau tirage : juin 2012
Imprimé en France